CHANEL

PASARELA

LAS COLECCIONES COMPLETAS

El primer recopilatorio exhaustivo
de las creaciones de Karl Lagerfeld
y Virginie Viard para Chanel

BLUME

CONTENIDO

12 INTRODUCCIÓN:
«LA MODA PASA, EL ESTILO ES ETERNO»,
POR PATRICK MAURIÈS

KARL LAGERFELD

22 KARL LAGERFELD: UNA BREVE BIOGRAFÍA,
POR PATRICK MAURIÈS

1983

26 ALTA COSTURA P/V 1983
«TODO EL MUNDO HABLA DE CHANEL»

28 ALTA COSTURA O/I 1983-1984
«SE TRATA SOLO DE LUJO»

1984

30 *PRÊT-À-PORTER* P/V 1984
«UN RITMO MÁS RÁPIDO»

32 ALTA COSTURA P/V 1984
CAMELIAS Y PORCELANA CHINA

34 *PRÊT-À-PORTER* O/I 1984-1985
EL ENCANTO DEL DEPORTE

38 ALTA COSTURA O/I 1984-1985
«EL CUERPO DE LA DÉCADA DE 1980»

1985

40 *PRÊT-À-PORTER* P/V 1985
LA CHAQUETA «HORIZONTAL»

42 ALTA COSTURA P/V 1985
UNA ODA A WATTEAU

48 *PRÊT-À-PORTER* O/I 1985-1986
NOCHE AMERICANA

50 ALTA COSTURA O/I 1985-1986
CINTURAS AJUSTADAS

1986

52 *PRÊT-À-PORTER* P/V 1986
BEIS Y DORADO

54 ALTA COSTURA P/V 1986
AZUL MARINO Y BLANCO

58 *PRÊT-À-PORTER* O/I 1986-1987
EL VESTIDO DE CINTAS

60 ALTA COSTURA O/I 1986-1987
EL TRAJE SIN BOTONES

1987

64 *PRÊT-À-PORTER* P/V 1987
EL NUEVO CHANEL Nº 5

68 ALTA COSTURA P/V 1987
«FALDAS PARABÓLICAS»

72 *PRÊT-À-PORTER* O/I 1987-1988
CACHEMIRA Y VINILO

74 ALTA COSTURA O/I 1987-1988
COSTURA DE ÓPERA

1988

76 *PRÊT-À-PORTER* P/V 1988
NUBES Y CAMELIAS

80 ALTA COSTURA P/V 1988
PAMELAS Y FALDAS EN FORMA DE CÚPULA

84 *PRÊT-À-PORTER* O/I 1988-1989
TWEEDS Y CUADROS ESCOCESES

86 ALTA COSTURA O/I 1988-1989
EL CHANEL SHAKESPEARIANO

1989

90 *PRÊT-À-PORTER* P/V 1989
COCO EN BIARRITZ

94 ALTA COSTURA P/V 1989
HOMENAJE A NANCY CUNARD

98 *PRÊT-À-PORTER* O/I 1989-1990
MINITÚNICAS Y MEDIAS DE LUJO

102 ALTA COSTURA O/I 1989-1990
LA COLECCIÓN OCULTA

1990

106 *PRÊT-À-PORTER* P/V 1990
CORDELES DORADOS

110 ALTA COSTURA P/V 1990
EL VESTIDO-CHAQUETA

114 *PRÊT-À-PORTER* O/I 1990-1991
UN NUEVO CONCEPTO DEL BOLSO CHANEL

118 ALTA COSTURA O/I 1990-1991
CON TRAJE Y BOTAS

1991

122 *PRÊT-À-PORTER* P/V 1991
«SURFISTA DE CIUDAD»

126 ALTA COSTURA P/V 1991
PERLAS, SEDAS Y VIDEOCÁMARAS

130 *PRÊT-À-PORTER* O/I 1991-1992
«EL NUEVO RAPERO»

136 ALTA COSTURA O/I 1991-1992
UN FESTIVAL DE TUL

1992

142 *PRÊT-À-PORTER* P/V 1992
«UNA VISITA AL BOSQUE ENCANTADO»

148 ALTA COSTURA P/V 1992
«LA FALDA DESESTRUCTURADA»

154 *PRÊT-À-PORTER* O/I 1992-1993
EL *LOOK* DE PIEL

158 ALTA COSTURA O/I 1992-1993
LA COMUNIÓN DE LA DÉCADA DE 1930
CON LA DE 1970

1993

162 *PRÊT-À-PORTER* P/V 1993
ROPA INTERIOR DE ALTA MODA

166 ALTA COSTURA P/V 1993
CONFECCIÓN (*TAILLEUR*) VS. SASTRERÍA
(*FLOU*)

170 *PRÊT-À-PORTER* O/I 1993-1994
CAMISAS BLANCAS Y BOTAS

176 ALTA COSTURA O/I 1993-1994
«SUPERCORTO»

1994

180 *PRÊT-À-PORTER* P/V 1994
«EL NUEVO CORSÉ»

184 ALTA COSTURA P/V 1994
SOMBREROS DE JAULA Y POLISONES

188 *PRÊT-À-PORTER* O/I 1994-1995
PIELES Y CINE

192 ALTA COSTURA O/I 1994-1995
FESTEJO DEL EFECTO *BUSTIER*

1995

196 *PRÊT-À-PORTER* P/V 1995
MICROTRAJES

202 ALTA COSTURA P/V 1995
UN HOMENAJE A SUZY PARKER

206 *PRÊT-À-PORTER* O/I 1995-1996
GENDER BENDING

210 ALTA COSTURA O/I 1995-1996
VESTIDOS-CÁRDIGAN

1996

214 *PRÊT-À-PORTER* P/V 1996
«KARL SE VA AL CENTRO»

218 ALTA COSTURA P/V 1996
ENCAJES Y *FONTANGES*

222 *PRÊT-À-PORTER* O/I 1996-1997
EL EJÉRCITO DORADO

226 ALTA COSTURA O/I 1996-1997
BORDADOS DE COROMANDEL

1997

230 *PRÊT-À-PORTER* P/V 1997
ESTILO ECUESTRE

234 ALTA COSTURA P/V 1997
«ELEGANCIA AL LÍMITE»

236 *PRÊT-À-PORTER* O/I 1997-1998
«¿POR QUÉ UN PUENTE?»

240 ALTA COSTURA O/I 1997-1998
CUENTOS DE HADAS NÓRDICOS

1998

244   *PRÊT-À-PORTER* P/V 1998
       SESENTA AÑOS DE COCO

248   ALTA COSTURA P/V 1998
       CHICAS *FLAPPER* Y *CONCIERGES*

250   *PRÊT-À-PORTER* O/I 1998-1999
       LA DEAUVILLE DE COCO

254   ALTA COSTURA O/I 1998-1999
       INFLUENCIAS JAPONESAS

1999

258   *PRÊT-À-PORTER* P/V 1999
       CONJUNTOS DEPORTIVOS

260   ALTA COSTURA P/V 1999
       CONFECCIÓN SUAVE

264   *PRÊT-À-PORTER* O/I 1999-2000
       A LAS PUERTAS DEL SIGLO XXI

266   ALTA COSTURA O/I 1999-2000
       COSTURA GEOMÉTRICA

2000

270   *PRÊT-À-PORTER* P/V 2000
       ESTILO ACOLCHADO

272   ALTA COSTURA P/V 2000
       COSTURA COLORIDA

276   *PRÊT-À-PORTER* O/I 2000-2001
       BLANCO HIBERNAL

278   CRUCERO 2000-2001
       CHEZ RÉGINE

280   ALTA COSTURA O/I 2000-2001
       PRENDAS DE *TWEED* ELÉCTRICAS

2001

284   *PRÊT-À-PORTER* P/V 2001
       UN CÍRCULO COMPLETO

288   ALTA COSTURA P/V 2001
       PERLAS Y VELOS

292   *PRÊT-À-PORTER* O/I 2001-2002
       «COCO POP»

294   CRUCERO 2001-2002
       BAILARINA

296   ALTA COSTURA O/I 2001-2002
       PANTALÓN DE ALTA COSTURA

2002

300   *PRÊT-À-PORTER* P/V 2002
       VELOCIDAD Y ROMANTICISMO

304   ALTA COSTURA P/V 2002
       UN RAMO DE CAMELIAS

306   *PRÊT-À-PORTER* O/I 2002-2003
       PRINCESAS ROCKERAS

308   CRUCERO 2002-2003
       EL CAFÉ MARLY

310   ALTA COSTURA O/I 2002-2003
       ELEGANCIA EDUARDIANA

2003

314   *PRÊT-À-PORTER* P/V 2003
       LA OLA SURFERA

316   COLECCIÓN *MÉTIERS D'ART*
       «SATÉLITE DEL AMOR» 2002-2003
       UNA CONSTELACIÓN DE CONFECCIÓN

318   ALTA COSTURA P/V 2003
       «FRAGILIDAD»

322   *PRÊT-À-PORTER* O/I 2003-2004
       «LUZ BLANCA»

324   CRUCERO 2003-2004
       EL PAÍS DE LOS DULCES

326   ALTA COSTURA O/I 2003-2004
       REINA DE LA NIEVE

2004

328 *PRÊT-À-PORTER* P/V 2004
ACCESORIOS MUSICALES

330 COLECCIÓN *MÉTIERS D'ART*
«CHANEL *CINQ À SEPT*» 2003-2004
EN HONOR A LA ARTESANÍA

332 ALTA COSTURA P/V 2004
«LA DUALIDAD DE LOS CONTRASTES»

334 *PRÊT-À-PORTER* O/I 2004-2005
«COCO LO COGIÓ DE LOS CHICOS»

338 CRUCERO 2004-2005
UN CRUCERO POR EL SENA

340 ALTA COSTURA O/I 2004-2005
«DÚOS DE CHANEL»

2005

344 *PRÊT-À-PORTER* P/V 2005
ALFOMBRA ROJA

348 COLECCIÓN *MÉTIERS D'ART*
«PARÍS-TOKIO» 2004-2005
CHANEL EN JAPÓN

350 ALTA COSTURA P/V 2005
«JARDÍN FRANCÉS»

356 *PRÊT-À-PORTER* O/I 2005-2006
MINIVESTIDOS NEGROS

358 CRUCERO 2005-2006
CHANEL SOBRE RUEDAS

360 ALTA COSTURA O/I 2005-2006
«LUJO OCULTO»

2006

364 *PRÊT-À-PORTER* P/V 2006
«COCO CONOCE A JAMES DEAN»

368 COLECCIÓN *MÉTIERS D'ART*
«PARÍS-NUEVA YORK» 2005-2006
CHANEL EN NUEVA YORK

372 ALTA COSTURA P/V 2006
CHANEL GRANDIOSO

376 *PRÊT-À-PORTER* O/I 2006-2007
«PARÍS EN ESCENA»

380 CRUCERO 2006-2007, GRAND CENTRAL,
NUEVA YORK
GRAND CENTRAL STATION

382 ALTA COSTURA O/I 2006-2007
TEJANO DE CONFECCIÓN

2007

386 *PRÊT-À-PORTER* P/V 2007
BLANCO Y ORO

390 COLECCIÓN *MÉTIERS D'ART*
«PARÍS-MONTECARLO» 2006-2007
EL TREN AZUL

392 ALTA COSTURA P/V 2007
«FLEXIBILIDAD VERTICAL»

396 *PRÊT-À-PORTER* O/I 2007-2008
NIEVE EN PARÍS

400 CRUCERO 2007-2008, AEROPUERTO
DE SANTA MÓNICA
«LÍNEA CHANEL»

402 ALTA COSTURA O/I 2007-2008
«DE ALTO PERFIL»

2008

406 *PRÊT-À-PORTER* P/V 2008
«NOCHES DE VERANO»

410 COLECCIÓN *MÉTIERS D'ART*
«PARÍS-LONDRES» 2007-2008
LA LLAMADA DE LONDRES

412 ALTA COSTURA P/V 2008
UN MONUMENTO A LA MODA

418 *PRÊT-À-PORTER* O/I 2008-2009
UN TIOVIVO CHANEL

422 CRUCERO 2008-2009, MIAMI
DIVERSIÓN JUNTO A LA PISCINA

424 ALTA COSTURA O/I 2008-2009
«TUBOS DE ÓRGANO Y MÚSICA»

2009

428 *PRÊT-À-PORTER* P/V 2009
EL NÚMERO 31 DE LA CALLE CAMBON

432 COLECCIÓN *MÉTIERS D'ART*
«PARÍS-MOSCÚ» 2008-2009
DE LOS ZARES A LOS MUJIKS

438 ALTA COSTURA P/V 2009
LA COLECCIÓN BLANCA

442 *PRÊT-À-PORTER* O/I 2009-2010
BELLE BRUMMELL

446 CRUCERO 2009-2010, VENECIA
«COCO EN EL LIDO»

452 ALTA COSTURA O/I 2009-2010
CHANEL Nº 5

2010

456 *PRÊT-À-PORTER* P/V 2010
UNA GRANJA EN PARÍS

460 COLECCIÓN *MÉTIERS D'ART*
«PARÍS-SHANGHÁI» 2009-2010
EL PARÍS DEL ESTE

466 ALTA COSTURA P/V 2010
NEÓN BARROCO

470 *PRÊT-À-PORTER* O/I 2010-2011
ELEGANCIA ÁRTICA

474 CRUCERO 2010-2011, SAINT-TROPEZ
FRESCOR *OFF-DUTY*

478 ALTA COSTURA O/I 2010-2011
PERLAS Y LEONES

2011

484 *PRÊT-À-PORTER* P/V 2011
EL AÑO PASADO EN MARIENBAD

488 COLECCIÓN *MÉTIERS D'ART*
«PARÍS-BIZANCIO» 2010-2011
ESPLENDOR BIZANTINO

494 ALTA COSTURA P/V 2011
«ROCK FRÁGIL»

498 *PRÊT-À-PORTER* O/I 2011-2012
ANDROGINIA APOCALÍPTICA

502 CRUCERO 2011-2012, EDEN-ROC
EL GLAMUR DE HOLLYWOOD EN LA RIVIERA

504 ALTA COSTURA O/I 2011-2012
«LOS AIRES DE CHANEL»

2012

506 *PRÊT-À-PORTER* P/V 2012
DEBAJO DEL AGUA

510 COLECCIÓN *MÉTIERS D'ART*
«PARÍS-BOMBAY» 2011-2012
UN SUEÑO DE INDIA

514 ALTA COSTURA P/V 2012
154 TONOS DE AZUL

516 *PRÊT-À-PORTER* O/I 2012-2013
CRISTALES

520 CRUCERO 2012-2013, VERSALLES
«COCO ROCK»

524 ALTA COSTURA O/I 2012-2013
EL «NUEVO *VINTAGE*»

2013

526 *PRÊT-À-PORTER* P/V 2013
ENERGÍA PURA

532 COLECCIÓN *MÉTIERS D'ART*
«PARÍS-EDIMBURGO» 2012-2013
ROMANTICISMO ESCOCÉS

538 ALTA COSTURA P/V 2013
UN BOSQUE MÁGICO

542 *PRÊT-À-PORTER* O/I 2013-2014
PLANETA CHANEL

548 CRUCERO 2013-2014, SINGAPUR
CHANEL EN ASIA

550 ALTA COSTURA O/I 2013-2014
«ENTRE AYER Y MAÑANA»

2014

556 *PRÊT-À-PORTER* P/V 2014
ARTE CHANEL

562 COLECCIÓN *MÉTIERS D'ART*
«PARÍS-DALLAS» 2013-2014
EL SALVAJE OESTE

566 ALTA COSTURA P/V 2014
CAMBON CLUB

570 *PRÊT-À-PORTER* O/I 2014-2015
EL CENTRO COMERCIAL DE CHANEL

576 CRUCERO 2014-2015, DUBÁI
RENACER ORIENTAL

580 ALTA COSTURA O/I 2014-2015
BARROCO DE CEMENTO

2015

586 *PRÊT-À-PORTER* P/V 2015
BULEVAR CHANEL

592 COLECCIÓN *MÉTIERS D'ART*
«PARÍS-SALZBURGO» 2014-2015
DESDE SISÍ HASTA CC

596 ALTA COSTURA P/V 2015
COSTURA EN FLOR

602 *PRÊT-À-PORTER* O/I 2015-2016
LA COLECCIÓN FRANCESA

608 CRUCERO 2015-2016, SEÚL
ARTE K-POP

612 ALTA COSTURA O/I 2015-2016
CASINO DE CONFECCIÓN

2016

616 *PRÊT-À-PORTER* P/V 2016
«CHANEL AIRLINES»

620 COLECCIÓN *MÉTIERS D'ART*
«PARÍS EN ROMA» 2015-2016
«PARÍS EN ROMA»

624 ALTA COSTURA P/V 2016
ALTA COSTURA ECOLÓGICA

630 *PRÊT-À-PORTER* O/I 2016-2017
PERLAS Y ROSA

634 CRUCERO 2016-2017, CUBA
«COCO CUBA»

638 ALTA COSTURA O/I 2016-2017
«CORTES GRÁFICOS»

2017

642 *PRÊT-À-PORTER* P/V 2017
«TECNOLOGÍA ÍNTIMA»

646 COLECCIÓN *MÉTIERS D'ART*
«PARÍS COSMOPOLITA» 2016-2017
UN BAILE EN EL RITZ

650 ALTA COSTURA P/V 2017
ESPEJOS PLATEADOS

654 *PRÊT-À-PORTER* O/I 2017-2018
ESPACIO AÉREO CHANEL

658 CRUCERO 2017-2018
«LA MODERNIDAD DE LA ANTIGÜEDAD»

662 ALTA COSTURA O/I 2017-2018
DEBAJO DE LA TORRE EIFFEL

2018

666 *PRÊT-À-PORTER* P/V 2018
CASCADAS

670 COLECCIÓN *MÉTIERS D'ART*
«PARÍS-HAMBURGO» 2017-2018
A LA ORILLA DEL ELBA

674 ALTA COSTURA P/V 2018
«FANTASÍA FRANCESA»

680 *PRÊT-À-PORTER* O/I 2018-2019
HOJAS CAÍDAS

684 CRUCERO 2018-2019
TODOS A BORDO DE LA PAUSA

688 ALTA COSTURA O/I 2018-2019
EL NUEVO «ALTO PERFIL»

2019

692 *PRÊT-À-PORTER* P/V 2019
«CHANEL POR MAR»

698 COLECCIÓN *MÉTIERS D'ART*
«PARÍS-NUEVA YORK» 2018-2019
EGIPTOMANÍA

702 ALTA COSTURA P/V 2019
«VILLA CHANEL»

706 *PRÊT-À-PORTER* O/I 2019-2020
«CHALET GARDENIA»

VIRGINIE VIARD

712 VIRGINIE VIARD: UNA BREVE BIOGRAFÍA,
POR PATRICK MAURIÈS

716 CRUCERO 2019-2020
UNA INVITACIÓN A VIAJAR

720 ALTA COSTURA O/I 2019-2020
LA BIBLIOTECA

2020

724 *PRÊT-À-PORTER* P/V 2020
TEJADOS DE PARÍS

728 COLECCIÓN *MÉTIERS D'ART*
«PARÍS-31 CALLE CAMBON» 2019-2020
VUELTA A CASA

732 ALTA COSTURA P/V 2020
AUBAZINE

736 *PRÊT-À-PORTER* O/I 2020-2021
ROMÁNTICA

740 BIBLIOGRAFÍA
741 CRÉDITOS DE LAS FOTOGRAFÍAS
742 AGRADECIMIENTOS
743 ÍNDICE SELECTO DE PRENDAS DE ROPA,
COMPLEMENTOS Y MATERIALES
747 ÍNDICE DE MODELOS
754 ÍNDICE

INTRODUCCIÓN

«LA MODA PASA, EL ESTILO ES ETERNO»

Por Patrick Mauriès

A las tres de la tarde del 25 de enero de 1983, un grupo de huéspedes especiales se reunió en las distinguidas habitaciones del número 31 de la calle Cambon, el mismo lugar en el que *mademoiselle* Chanel, que, como es bien sabido, estaba escondida en la escalera, presentaba sus colecciones. Sabían que eran testigos de un momento histórico, pero tal vez no el que esperaban.

La ciudad de París aún no había asimilado la noticia de que Karl Lagerfeld, una de las figuras pioneras del *prêt-à-porter*, que por aquel entonces se encontraba en el apogeo de su creatividad, había llegado a una casa de alta costura en cierto modo inactiva. Y todo el mundo se preguntaba, quizá con un ligero regodeo, de qué forma el hombre del abanico, el creador de diseños dinámicos y florales como los de Chloé, podría llegar a salir de la trampa en la que él mismo se había metido: tomar las riendas del debilitado legado de una leyenda de la moda y actualizarlo.

Mademoiselle Chanel falleció en 1971. Tras una vuelta al trabajo algo dificultosa en 1954, había logrado reactivar el negocio en los años venideros, aunque con el riesgo de quedar ceñida a una fórmula tan insuperable como las ocurrentes réplicas que le merecieron la fama. Varias tentativas de continuar con su legado no habían dado resultado, y la situación no parecía prometedora. «La gente tiende a olvidar», sostiene el diseñador de la coleta viéndolo en retrospectiva y con un toque de su conocida agudeza, «que hace tiempo Chanel no era ninguna novedad. Solo lo seguían llevando las esposas de médicos parisinos. Nadie lo quería, no servía para nada...».

El primer desfile sentó las bases para todos los que siguieron, y para un planteamiento que en esencia se ha mantenido igual. Fiel apasionado de la historia de su oficio, Lagerfeld se valió del recuerdo de esos estilos para reinventarse, evitando los clichés. El traje ribeteado con trenzas, emblema de Chanel, apareció en la inauguración del desfile en tres tonos atrevidos –azul, blanco y rojo–, pero sus proporciones ya presentaban pequeñas modificaciones: los hombros eran más anchos, se marcaba la cintura y el largo de la falda era distinto. Incorporados en el bordado o en formas de esculpir la silueta, los elementos del léxico Chanel –camelias, la doble C cruzada, cadenas, joyas de confección– proporcionaban contrapuntos o guiños cómplices a las convenciones. Esta estrategia estaba planeada cuidadosamente. «Si echas un vistazo a las colecciones de la década de 1950, de finales de 1950», dijo Lagerfeld, «hay muy pocas cadenas, no hay "CC", y tampoco camelias, pero en la década de 1980 tuvimos que hacer todo lo que estaba en nuestra mano para evitar que fuera un simple traje de *tweed* elegante y sencillo con un discreto lazo. Son cosas que extraje, exageré, y que hice creer a la gente que siempre habían existido».

Esta jugada inicial también iba asociada a otra. No satisfecho con haber deconstruido literalmente y recolocado los elementos del guardarropa Chanel, el «uniforme» con el que la casa se había identificado definitivamente durante algunas décadas anteriores, Lagerfeld recordó, además, lo que lo precedió: las largas y flexibles líneas de Chanel en la década de 1930, los tejidos sueltos, el amor por el tul y la organza adornados con bordados y encajes. Mientras que el Chanel de la década de 1950 estaba estrechamente relacionado con el traje estructurado de *tweed*, derivado de la ropa de hombre, el Chanel de la década de 1930 era sinuoso y femenino, envuelto en una nube de encaje para la noche, y en casa por un conjunto gemelo o un minivestido negro para el día: «En la década de 1930, era mucho más conocido por su encaje que por sus trajes. Si alguien me habla de encaje, pienso en Chanel». Lagerfeld siempre forjó un camino entre estos dos polos, y comenta respecto a esto: «Intento dejar que el estilo Chanel evolucione teniendo en mente unas palabras de Goethe: construir un futuro mejor a partir de elementos del pasado».

Lagerfeld no quería rechazar la estirpe que estaba llamado a seguir, y tampoco reivindicar su propia identidad anulando las normas de la casa, sin importar cuán anticuadas pudieran haber parecido. En lugar de eso, se sumergió en el mundo de la historia, tirando de sus hilos para tejerlos en un motivo nuevo, un diseño para el futuro. En efecto, eso es lo que Karl Lagerfeld siempre había hecho, desde sus primeros años en Balmain y Patou hasta sus últimas colecciones para Cadette, Krizia, Charles Jourdan, Mario Valentino, Fendi y Chloé, usando estas múltiples marcas como distintas máscaras e identidades.

Yendo contra el sistema, contra la propia lógica de la moda, tuvo un éxito espectacular al convertirse en un diseñador sin una etiqueta. Y cuando lanzó una, la primera con Lagerfeld Gallery y, luego, con la marca Karl Lagerfeld, lo hizo transfiriéndola a terceros y limitándose a ser una figura decorativa. Era un hombre para todas las marcas y ninguna; era, simplemente, él mismo. Fue una parte esencial del modo en que se presentaba a sí mismo: como oportunista, camaleón de la moda, diletante profesional e, incluso, como mercenario. «En el fondo, soy tan solo un mercenario al que contratan para perpetuar la marca», declaró abiertamente en las primeras entrevistas, y más tarde hizo una afirmación aún más radical: «Mi vida y mi trabajo es olvidarme de mí mismo».

Al hacerlo, inauguró una nueva era en el sector de la moda, y un nuevo modelo de negocio que no hizo más que consolidarse a lo largo de las décadas que siguieron, hasta convertirse en la norma: la del *styliste* todopoderoso. Ese es el acontecimiento histórico que el 25 de enero de 1983 sus huéspedes presenciaron sin ser conscientes de ello. No fue hasta más de diez años después, junto con John Galliano, en Dior, y Tom Ford, en Yves Saint Laurent, seguidos por Marc Jacobs, Hedi Slimane y Nicolas Ghesquière, por nombrar solo algunos, que este modelo se normalizó, un indicio de cambios profundos en la industria de la moda en su conjunto. Desde esta perspectiva, las siguientes páginas ofrecen una visión general ejemplar de unos cambios enormes y transformadores que han tenido lugar en el mundo de la moda a lo largo de los últimos treinta años, incluida una redefinición de los papeles de la alta costura, el *prêt-à-porter* y las colecciones cápsula.

Aparte del propio deseo de humildad que tenía Lagerfeld, una de las razones por las que este plan prosperó en Chanel (aunque, en verdad, los primeros años fueron bastante menos idílicos de lo que parecen en retrospectiva) es que, en lugar de ser una figura retrógrada y estirada, Coco Chanel era en sí, a ojos de su sucesor, una personalidad imprevisible y voluble, una criatura del presente, una artista de su tiempo que estaba en sintonía con su espíritu y sus reivindicaciones: «Chanel era una mujer de su tiempo. No era un nombre del pasado, que siempre mira atrás. Al contrario, odiaba el pasado, incluido el suyo propio, y todo surgía de ello. Es por eso por lo que la marca Chanel debe estar al día».

Además, este deseo de mantener una conexión directa con el presente es lo que convirtió a Coco Chanel en una estilista adelantada a su tiempo: «Si tuviera que definir a Chanel, diría que fue la primera estilista en otorgar a las mujeres esta moderna actitud que no existía antes». Un estilista es un virtuoso en cambiar y pedir prestado, en mover y transcribir, alguien que es capaz de mirar los elementos de la realidad cotidiana y verlos como los pilares fundamentales de una creación totalmente nueva que puede incluso ser mejor que la original. Eso es justamente lo que hizo Chanel con el género y los detalles que tomó de la ropa de caballero, y lo que Lagerfeld hizo a su vez con los tradicionales símbolos de Chanel. En efecto, es una forma de lo que el retórico del siglo XVII Baltasar Gracián denominó la «ponderación misteriosa», el intangible sentido de proporción que subyace en una exitosa pieza ingeniosa. Este amor por el ingenio, la concisión y los giros irónicos del lenguaje era una cualidad presente a lo largo de la vida y la conversación de Lagerfeld, así como su aproximación a la moda.

El deseo y la necesidad de estar anclado en el presente, de captar un instante como una fotografía, parecen tener una tendencia natural a ser efímeros y breves. Pero, en el caso de Chanel, hallamos –paradójicamente– que se produce el efecto contrario: su obra como estilista se salva de la garra del tiempo y adquiere la intemporalidad de un estilo. Como explicó Lagerfeld, «Chanel nos dejó más que una moda: nos dejó un estilo. Y eso, como ella misma dijo, jamás envejece». También señaló: «Chanel nos dejó su estilo, que se reconoce al momento. Es eterno, pero también debe estar en consonancia con la moda actual. Es un estilo que pertenece a otro período, pero que ha sobrevivido y fue capaz de adaptarse a la modernidad de todas las décadas que siguieron». No es ninguna coincidencia que esta descripción se aplique tanto al sucesor de Coco Chanel como a la propia Coco.

Ya sea de forma consciente o no, este modo de ver las cosas tiene su origen en una definición de estilo muy clásica (y próxima al espíritu del conde de Buffon): el estilo como la mujer en sí. «Tenía su propio aspecto, su propio estilo... Coco era alguien que no entendía nada, pero todo a la vez; es decir, que se entendía a sí misma. Chanel nos trajo... a sí misma». Su moda brotó de sus propias reacciones físicas y mentales subjetivas a los círculos en los que se movía, donde no se sentía cómoda. Luchaba contra eso con su imaginación, esparciendo ecos de su propia vida en diminutos fragmentos a lo largo de toda su carrera creativa: motivos del orfanato en Aubazine; *tweeds* de los años del duque de Westminster; el jersey de Deauville; la bisutería que recordaba los esplendores bizantinos de Venecia y el gran duque Dmitri Pávlovich. Eran estos motivos diferenciados –y discretos– los que Lagerfeld incorporó hábilmente en múltiples combinaciones variables, fusionándolos con su propia imaginación. Bajo la superficie «camaleónica» en continuo cambio, es fácil localizar ciertas constantes en las creaciones de Lagerfeld: el amor por las citas eruditas; el criterio *magpie* («recolector» o «acaparador») de las imágenes; el ingenio del que se ha hablado antes; la debilidad por la moda de la década de 1930, así como por las líneas largas y flexibles que se solapan y entrecruzan; la pasión por el blanco y negro (que constituye la base de la marca Karl Lagerfeld), y, en último lugar, pero no por ello menos importante, el eco de una versión imaginaria de Alemania, que sigue siendo omnipresente a pesar del hecho de que abandonó el país hace décadas. «Soy alemán de cabeza, pero de una Alemania que ya no existe», declaró, una observación que se extendió incluso hasta el uso que hacía de su lengua nativa. De hecho, a lo largo de su trayectoria profesional citó a dos grandes figuras de la Alemania de principios del siglo XX, si bien es cierto que no guardaban una relación directa con la moda, como sus propios referentes para con la elegancia: el escritor y político Walter Rathenau y el esteta y coleccionista de arte Harry Kessler, figuras en las que no es difícil detectar el eco de la silueta del propio Lagerfeld.

Algo que Lagerfeld compartió sin lugar a dudas con Chanel fue que ambos se convirtieron en auténticas *encarnaciones* de su propia visión de la moda. Piense en la forma en que Lagerfeld, hasta que alcanzó su condición de icono, se rediseñó a sí mismo en el transcurso de los años, desde el dandi del abanico obsesionado con el siglo XVIII en la década de 1980 hasta los trajes anchos al estilo japonés de la década de 1990, antes de transformarse radicalmente de nuevo en la década siguiente. En los últimos tiempos, los cuellos esmoquin de sus camisas hechas a medida eran lo único que salpicaba la esbelta silueta que eligió abrazar, la encarnación final de lo que él mismo llamó su «títere».

Aunque estos cambios se podrían considerar unos meros detalles biográficos, también se podrían ver como parte de la transformación que ha tenido lugar en el mundo de la moda en los últimos treinta años, y como la respuesta de Lagerfeld a su propia evolución imparable hacia un tipo de «construcción de marca de lujo multinacional» en una época en que la moda iba dirigida «al mercado más amplio y rico, y con más aspiraciones, que el mundo jamás había visto». La misma idea reside detrás de este énfasis en los «elementos eternos» de Chanel –el bolso 2.55 acolchado, el traje ribeteado con trenzas, los zapatos bicolor, la camelia, las joyas de confección– y las innumerables variaciones de estas que el extraordinariamente imaginativo diseñador siguió inventando para una colección tras otra. Los consideró ante todo símbolos reconocibles que se podían entender a pesar de las barreras del lenguaje y la geografía: «Para una empresa, hoy en día es muy importante porque, mucho más que en el pasado, todos vendemos en partes del mundo donde no saben leer lo que escribimos ni entienden nuestras lenguas. En una parte –una parte muy extensa– del mundo, se escribe solo mediante signos. Tal vez puedan memorizar las famosas "CC", pero tienen dificultades para leer primero el nombre. Lo descubren más tarde. En el pasado, vendimos sobre todo a gente que conocía nuestra cultura y sabían leer en inglés o francés. Ahora es tan solo una parte de nuestra clientela. Los logos son el esperanto del *marketing*, el lujo y los negocios hoy en día».

La aparición de las supermodelos coincidió con la llegada de Lagerfeld a Chanel; de hecho, desempeñó un papel clave en la firma ofreciendo un contrato exclusivo a Inès de la Fressange. Este paso sin precedentes se puede interpretar como otro tipo de estrategia de marca, una que se mantuvo a lo largo de los años con una serie de rostros especialmente elegidos, hasta Cara Delevigne en la década de 2010. La siguiente fase en esta creación de una lengua franca visual se alcanzó cuando Lagerfeld asumió no solo las colecciones de Chanel, sino también su presentación en las sesiones fotográficas y las campañas publicitarias, y la gestión internacional de la imagen de la casa.

La marca Chanel no ha dejado de crecer, en especial durante los últimos diez años. La década del 2000 vio un acusado aumento en el número y la variedad de desfiles. Las colecciones crucero, una extensión de las líneas *prêt-à-porter* que incluían ropa diseñada para clientes privilegiados que lucían en viajes exóticos, ahora se presentan en eventos internacionales celebrados en ubicaciones poco comunes: un autobús parisino para la colección crucero 2005-2006, la Grand Central Station de Nueva York, el aeropuerto de Santa Mónica, el Lido de Venecia, el bosquete de las tres fuentes en Versalles, Dempsey Hill en Singapur, la isla de Dubái o el Paseo del Prado en La Habana. Y, además, se retransmiten por las redes sociales.

Al mismo tiempo, un deseo de alardear de las aptitudes de los muchos talleres artesanales que Chanel ha adquirido y mantenido a lo largo de los años motivó la llegada de las exposiciones de los *métiers d'art*: estos muestran el arte de talleres como Lesage (bordados), Lemarié (pieles y flores artificiales), Maison Michel (sombreros de señora), Causse (confección de guantes), Massaro (confección de calzado) y el tradicional proveedor de la cachemira de Chanel: Barrie, en Escocia. Estos ofrecen otra oportunidad para sacar provecho de una enorme variedad de lugares y culturas en todo el mundo, superando los tradicionales límites de la pasarela. Desde Bombay hasta Edimburgo y Dallas, pasando por Shanghái y Salzburgo, se presentan las colecciones maravillosamente elaboradas en unos entornos memorables o espectaculares, ofreciendo un escaparate animado para las variaciones en los símbolos por excelencia de la marca, motivos exóticos y referencias al pasado. Aquí, de nuevo, Lagerfeld iniciaba una práctica que la mayoría de las grandes casas de moda llegarían a imitar.

Este tipo de puesta en escena teatral seguiría expandiéndose con rapidez. En los terrenos tanto de la alta costura como del *prêt-à-porter*, las pasarelas se suelen presentar en unos inmensos y lujosos escenarios; las pasarelas Chanel, en general, se celebran en el interior del Grand Palais de París. Están diseñadas para ser eventos de repercusión internacional, nuevas formas de ampliar y universalizar el mensaje de la moda dentro de una guerra de imágenes que es cada vez más crucial.

Alta costura, *prêt-à-porter*, crucero, *métiers d'art*: cada una de las seis* colecciones anuales diseñadas por Lagerfeld para Chanel exigía un estilo de presentación apropiado que cumpliera con un conjunto de requisitos concretos. A pesar de lo que cabría imaginar en el actual mundo de la moda, tan heterogéneo, con sus colaboraciones «hi-lo» (es decir, la tendencia adoptada por los grandes diseñadores, como Lagerfeld, de producir gamas para grandes cadenas de distribución) y el nivel cada vez mayor de maestría artesana aplicada al *prêt-à-porter*, que ahora puede rivalizar con la alta costura en refinamiento y precio, los límites entre los diferentes campos de la moda, si bien podrían parecer cada vez más confusos, se mantienen muy nítidos a ojos del diseñador. «La alta costura no tiene nada que ver con el *prêt-à-porter*», afirmó Lagerfeld en 2015. «*No debería* tener nada que ver con el *prêt-à-porter*». Esta distancia no se refiere solamente, como cabría esperar, al oficio que implica –el detalle de la ejecución, la multitud de horas de bordado, los complementos hechos a medida y el círculo necesariamente pequeño de clientes–, sino que también refleja el uso de innovaciones tecnológicas y las nuevas posibilidades que ofrecen: el uso de una técnica 3D en la colección de alta costura otoño/invierno 2015-2016 es solo un ejemplo destacado.

«En la moda», como señaló Lagerfeld, «el futuro son tres meses, tres meses, tres meses». Y este hombre que iba y hablaba acelerado parecía haber sido hecho para este tipo de movimiento perpetuo, ya que se anticipaba siempre a todo lo que decía, y se anticipaba aún más a quienquiera que conversara con él. Reinventando constantemente, con visión de futuro, seguía al pie de la letra el hilo de sus diseños, o lo que él llamaba sus «propuestas»: «No analizo lo que hago. Lo hago sin comentarios. Propongo. Mi vida es una vida de propuestas. Y, en cualquier caso, de todas mis colecciones, la única que cuenta es la siguiente». No guardaba nada, no quería recordar, y «despejaba» su entorno continuamente: «Lo tiro todo. ¡El utensilio más importante en una casa es el cubo de la basura! No guardo archivos, ni bocetos, ni fotos, ni ropa... ¡Nada! ¡Se supone que debo *hacer*, no recordar!». Este fue el propósito que lo llevó a negarse a colaborar en un repaso reciente de su trayectoria profesional, o incluso visitar la exposición. Tal vez esta fue la máxima paradoja de este culto virtuoso, cortado de la propia tela del tiempo: no sabía ni le importaba nada que no fuera el presente eterno, el momento en que se sentaba con un lápiz en la mano para realizar un boceto, antes de ver cómo se materializaba, casi por arte de magia, gracias a la habilidad de unas *petites mains* invisibles.

Su mano derecha y sucesora fue Virginie Viard. Procedente de una familia de fabricantes de seda franceses, también había estado en contacto con los talleres entre bambalinas que ayudaron a que las creaciones más deslumbrantes de Chanel cobraran vida durante décadas. En 1987, entró en Chanel como becaria y enseguida pasó a ser la persona de contacto con las casas de bordados de Lesage y Montex, para su deleite. Como ha manifestado, «los *métiers d'art* me ofrecen su saber hacer, hacen sublimes nuestras creaciones». De hecho, se refiere a los primeros desfiles de Chanel *métiers d'art*, celebrados en 2002, como uno de sus recuerdos más mágicos: «Era muy simple», recuerda Viard. «El diminuto desfile se hacía en el Salón: la estancia, esa escalera de espejos... Me encantaba todo eso... En esa primera colección satélite, en verdad solo había un suéter bordado, una falda y un pantalón pitillo. Era increíble. Para mí, esa era realmente la esencia de Coco Chanel».

Es este momento íntimo, que destila la esencia del guardarropa de la mujer Chanel, el que Viard evocó para inspirarse para su propia colección debut de *métiers d'art* como directora artística de alta costura, *prêt-à-porter* y complementos, la primera mujer en el reino de las creaciones de moda de la firma desde la época de Gabrielle Chanel en persona.

* Karl Lagerfeld diseñó un total de diez colecciones
al año para la firma, seis de las cuales se presentaron
en la pasarela.

«TODO EL MUNDO HABLA
DE CHANEL»

«Es como hacer un reestreno de una obra
antigua», le comentó Karl Lagerfeld a Suzy
Menkes acerca de su primera colección para la
casa Chanel. «Debes intentar verla con los ojos
del primer público, pero no deberías mostrar
mucha veneración. Para la gente joven es
importante tocar su estilo. Tiene que ser
divertido».

«No tratamos de desempolvar la línea de ropa
de *mademoiselle* Chanel para una línea exclusiva
o de *prêt-à-porter*», explicó Lagerfeld en *Vogue*.
«Queremos abrazar una cierta tradición y
cambiar poco a poco. Coco Chanel fue moderna
en su día. Nuestra intención es modernizar la
imagen de Chanel».

«Ha surgido una imagen muy estática a partir
de los últimos años de Chanel», explicó el
diseñador a *Women's Wear Daily*, «por lo que
he repasado toda su trayectoria y he encontrado
algo mucho más interesante». Inspirándose
en diseños de la década de 1920 y 1930 de
Coco Chanel (en vez de en las creaciones mucho
más conocidas de la década de 1950), Lagerfeld
presentó una colección que estuvo en boca de
todo París. «Todo el mundo habla de Chanel»,
escribió *Vogue*.

El diseñador describió su primera colección para
la casa como «moderna y sexi elegante, no sexi
al estilo Las Vegas, mientras que la nueva
proporción es más larga, más delgada. Aunque
ella jamás lo hiciera así, es muy Chanel, ¿verdad?».
«Estos días soy como un ordenador que está
enchufado al modo Chanel», concluyó Lagerfeld.

«SE TRATA SOLO DE LUJO»

Presentada en la Escuela de Bellas Artes,
la segunda colección de alta costura
que Karl Lagerfeld creó para Chanel era
«todo lujo», afirmó el diseñador.

Inspirado por la historia de la firma y las
aptitudes únicas de los talleres de alta costura
(Lagerfeld convenció a uno de los modistos
de Coco Chanel para que abandonara la
jubilación y descubriera cómo *Mademoiselle*
creaba las mangas de las chaquetas de sus
conjuntos. «Estaban cortados por cinco sitios
distintos», anunció con admiración Lagerfeld
a *Women's Wear Daily*), el diseñador presentó
más de cincuenta conjuntos de miles de colores
y un sinfín de variaciones de corte.

Fiel al espíritu de la alta costura, Lagerfeld
trabajó con materiales de lujo, desde el terciopelo
de Panne y las delicadas puntillas con adorno de
cuentas hasta los opulentos bordados inspirados
por la colección personal de Coco Chanel de
objetos barrocos y por los elaborados diseños
del mobiliario del siglo XVIII.

Como resumió *Women's Wear Daily*, Lagerfeld
«toma el armazón de Chanel y le añade una
gran cantidad de cromo: ribetes de piel, joyas
en forma de corona, bordados al estilo Fabergé,
multitud de collares de cadena y cinturones,
e incluso su novia se dirige al altar con una
chaqueta Chanel de armiño».

«UN RITMO MÁS RÁPIDO»

Para su primera colección *prêt-à-porter* para la firma, Karl Lagerfeld siguió agitando y desatando el estilo distintivo de Chanel, adaptándolo a una nueva generación de mujeres y seduciendo a los críticos de la moda.

Suzy Menkes, en un escrito para *The Times*, se refirió a la colección como «una deslumbrante pasarela Chanel [en la que] Lagerfeld nos ha traído ropas jóvenes y frescas impregnadas del gusto de *Mademoiselle* y del ingenio que a él lo caracteriza», mientras que *Vogue* declaró que el diseñador, «al captar la esencia de Chanel y darle un ritmo algo más rápido, le ha dado un impulso totalmente renovado a la ropa moderna».

Lagerfeld trabajó con telas insólitas –el vaquero azul, en concreto–, que se cortaba en trajes clásicos, vestidos de calle e incluso sombreros a juego (y regresaría en colecciones posteriores para la casa; *véanse*, por ejemplo, págs. 64-67 y págs. 130-135), mientras que su «ritmo más rápido» se traducía en un toque deportivo que incluso comprendía un conjunto Chanel para ir en moto (una idea a la que el diseñador recurriría décadas más tarde; *véanse* págs. 300-303).

CAMELIAS Y PORCELANA CHINA

Karl Lagerfeld siguió reinventándose
códigos Chanel, centrándose especialmente
en los lazos negros y las camelias blancas
(la flor favorita de Coco Chanel) para
esta colección; los lazos se llevaban como
collares, sujetos a los cuellos, blusas y
faldas, e incluso se usaban como cinturones,
mientras que las camelias se prendían en
los sombreros, los escotes, los pañuelos
e incluso en las diademas.

El traje Chanel era alargado, con una
chaqueta a la altura de la cintura y
combinada con unas faldas por debajo
de las rodillas, mientras que para la noche
Lagerfeld presentó unos espectaculares
vestidos largos hasta el suelo y unos
espléndidos bordados de «porcelana china»
de la casa de Lesage (que, según dijo
Lagerfeld a *Women's Wear Daily*, habían
«salido de un retrato de Sargent»).

EL ENCANTO DEL DEPORTE

Karl Lagerfeld presentó una colección
delicadamente entallada para Chanel,
mostrando lo que *Vogue* describió como
«los trajes pantalón más bonitos y más
femeninos de París», poniendo énfasis
en una ropa deportiva de lujo reinventada,
como ya había lanzado Lagerfeld en su
anterior colección *prêt-à-porter* para
la casa (*véanse* págs. 30-31).

Basándose en el legado de la propia
Coco Chanel, que preconizó los *looks*
deportivos de lujo en la década de 1920,
Lagerfeld presentó conjuntos atrevidos
para el trineo ligero, el esquí, el jóquey,
la pesca y la caza. «Cuando investigué las
aportaciones de Chanel a la moda moderna,
vi cómo *Mademoiselle* creaba ropa deportiva»,
explicó Lagerfeld a *Vogue*. «He hecho lo
que creo que ella habría estado haciendo
hoy en día, si estuviera viva».

«EL CUERPO DE LA DÉCADA DE 1980»

El clásico traje Chanel prosiguió su metamorfosis,
con Karl Lagerfeld cambiando sus proporciones
para ajustarlo mejor a la mujer contemporánea.
«El cuerpo de la década de 1980 es distinto del
cuerpo del de la década de 1950», aseguró el
diseñador a *Women's Wear Daily*. «[La mujer
de hoy] tiene unos hombros anchos, una cintura
larga, unas caderas que no son redondeadas y
unas piernas muy muy largas».

Los nuevos trajes de Lagerfeld contenían unos
botones dorados exageradamente grandes
(el tradicional cordel Chanel casi no aparecía,
en cambio), mientras que para la noche el
diseñador eligió unos fastuosos bordados
inspirados en el suntuoso mobiliario de los
Romanov y las insignias de los zares de Rusia.

LA CHAQUETA «HORIZONTAL»

Karl Lagerfeld llevó con firmeza el clásico traje Chanel a la época de la minifalda, sin tener en cuenta la conocida aversión de Coco Chanel a mostrar las rodillas («Una mujer que puede enseñar los codos puede enseñar sus rodillas», declaró Lagerfeld) y siguiendo con su metamorfosis de la prenda icónica. Convirtió lo que llamaba la chaqueta «vertical» en una chaqueta «horizontal», más corta y cuadrada, que caía en forma de T sobre una falda ceñida y que Lagerfeld describió como «el concepto Chanel clásico completamente invertido».

El diseñador también dirigió su atención hacia la camiseta (algo insólito tratándose de una colección de alta moda), que transformó en unas fastuosas versiones en crepé *georgette* y encaje negro para la noche. «Creo que es lo más fácil de llevar», declaró Lagerfeld a *Vogue*. «Es absolutamente moderna, la camiseta. Cuando empecé a diseñar para Chanel, pensé en traducir lo obvio en formas simplistas, aunque lujosas. Así que, ¿por qué no una camiseta de encaje?».

UNA ODA A WATTEAU

«¿Qué hay más francés que Watteau?», preguntó
Karl Lagerfeld, cuya colección de alta costura para
Chanel rendía homenaje a la obra del pintor del
siglo XVIII, evocando los colores pálidos de sus
fêtes galantes e inspirándose en los personajes de
la *commedia dell'arte* –en Pierrot (o Gilles), en
concreto– que aparecen en repetidas ocasiones en
sus cuadros.

Si Jean-Antoine Watteau es representativo del
ornamentado estilo rococó, Lagerfeld no se
cansaba de insistir en que «no es en absoluto
recargado; si miras con atención a Watteau,
es muy simple, muy puro, muy moderno»,
y el diseñador reformuló las proporciones de
la clásica chaqueta Chanel siguiendo la línea
del Pierrot de Watteau, con las costuras caídas de
los hombros y mangas de tres cuartos fruncidas
(resaltadas por unos lazos elegantes para un
toque de Chanel añadido).

Karl Lagerfeld no fue el primero en combinar
la estética de Watteau con el estilo Chanel: la
propia Coco Chanel lució un traje inspirado en
El indiferente de Watteau en el baile de disfraces
que organizó el conde Étienne de Beaumont en
1939 (el baile de Racine, que conmemoraba
el tricentenario del nacimiento de Jean Racine),
probablemente motivada porque unos días antes
robaron el cuadro del Louvre. Chanel quedó
tan cautivada por el resultado que transformó
el vestido en un traje de señora para una de sus
colecciones propias poco después, que Diana
Vreeland rápidamente encargó en terciopelo de
seda rojo rubí (mientras que la propia Chanel
lucía una versión en terciopelo negro).

Las prendas de noche eran especialmente fastuosas,
mezclaban «elementos de bordado del siglo XVIII
con la falda debutante de la década de 1950»,
señaló Lagerfeld. El *look* se tipificó por el vestido
largo hasta el suelo de color azul cielo que llevaba
Inès de la Fressange, mientras que los *looks*
bucólicos chics incluían un vestido de colombina
de un llamativo tono pastel bajo una chaqueta
amarilla de piel ajustada a la cintura.

NOCHE AMERICANA

«Me gustan los mismos elementos para el día
y la noche [...] Lo deportivo para vestir y lo de
vestir para hacer deporte», declaró Karl Lagerfeld
a *Women's Wear Daily* para presentar el centro de
su colección *prêt-à-porter* para la firma: mezclas
para el día y la noche de distintas telas y siluetas,
volviendo a los símbolos del estilo Chanel para
uso diario a fin de convertirlos en ropa de noche
elegante, que presentó con un telón de fondo
inspirado en la fachada del número 31 de la calle
Cambon, la famosa sede de Chanel.

Los cárdigan de crepé o de punto de seda para
la noche se llevaban sobre unas faldas de crepé
negras largas hasta el suelo, los suéteres se
combinaban con faldas de chifón, y Lagerfeld
sugirió redingotes de un negro intenso como
abrigos de noche (con botones dorados y cadenas
Chanel, por supuesto, como complementos).
«El redingote es una de las siluetas que más
favorecen al cuerpo», manifestó el diseñador
a *Vogue*. «Da resultado tanto en hombres como
en mujeres».

CINTURAS AJUSTADAS

Karl Lagerfeld se centró en la cintura para esta
colección de Chanel, ajustándolo todo, desde
el emblemático traje de Chanel y los vestidos-
jersey de lana bicolor con efecto *trompe l'oeil*
que parecían trajes hasta los vestidos de cóctel
y de noche. Los cinturones incluían desde
finos cinturones de cadenas doradas hasta anchos
cinturones acolchados de color negro decorados
con una hebilla dorada (a menudo, grabada con
la doble C).

Explotando todas las posibilidades de las
virtuosidades únicas de los talleres de alta costura
de París, Lagerfeld presentó prendas de noche
ricamente bordadas, e incluso tejió un abrigo
con un motivo de kílim confeccionado con más
de 190 000 lentejuelas, cada una de las cuales
fueron cosidas a mano por la casa de Lesage
(«solo Karl Lagerfeld y, de vez en cuando,
Yves Saint Laurent» acudían a él con sus propias
ideas, le comentó François Lesage a Suzy Menkes).

BEIS Y DORADO

El clásico traje Chanel se transformó en una
versión túnica con cinturón para esta nueva
colección, presentada en un entorno
haussmanniano que recordaba la arquitectura
de la sede de Chanel en la calle Cambon (muchos
años antes de que la casa mandara construir una
reproducción a tamaño natural de la calle bajo
las cúpulas de cristal del Grand Palais; *véanse*
págs. 428-431). El escenario se ilustró con iconos
del estilo Chanel a cada lado, desde bolsos
acolchados y camelias hasta zapatos de salón
bicolores y perlas.

Las chaquetas alargadas se combinaban con
sencillas camisetas blancas, pantalones cortos
urbanos o estrechas faldas lápiz que llegaban
justo por encima de la rodilla. La gama de colores
se ceñía a los distintivos de la casa: el negro, el
azul marino, el beis y el blanco, un complemento
ideal para la plétora de joyas de oro que se lucían
con casi todos los conjuntos, desde cadenas de
oro enrolladas alrededor de la cintura o usadas
como collares hasta enormes botones dorados,
cinturones y espectaculares pendientes de aro
en forma de la doble C.

EL VESTIDO DE CINTAS

Como nota graciosa, Karl Lagerfeld inauguró
la pasarela con unos dobles de Madonna, Sade
y Tina Turner, todos ellos ataviados con lo que
podría ser su versión del estilo Chanel, antes de
rendir homenaje al estilo campero inglés, un *look*
que promocionó la propia Coco Chanel durante
sus vacaciones en Inglaterra y Escocia, con unos
vestidos pantalón entallados y con los hombros
caídos de cuadros de pata de gallo, a juego con
unas suaves prendas de punto de cachemira en
lugar de blusas.

Lagerfeld también recuperó y reinterpretó una
de las creaciones más femeninas de Coco Chanel:
el vestido de cintas, al que el diseñador otorgó
un nuevo aire con unas cintas de satén negras
colgadas al escote y a los bajos, decorados con
camelias negras a juego.

EL TRAJE SIN BOTONES

Karl Lagerfeld le dio brillo al clásico traje Chanel,
eliminando los conocidos botones dorados y
apostando por una chaqueta «ingrávida» y sin
forro que se llevaba casi como un suéter por
encima de blusas a juego o sencillas camisetas
negras de manga corta.

Para esta colección, presentada en la Escuela
de Bellas Artes, el diseñador exploró la línea A
y presentó vistosas prendas de noche, como los
vestidos cortos abombados con crinolina.

Lagerfeld se había comprometido a dividir
esta colección entre «lo extravagante y lo clásico,
porque hoy en día la vida es así», y mantuvo
su palabra con inyecciones de «Cadillac Chic»
(como lo denominó *Women's Wear Daily*), como
un vestido de piel con cadenas combinado con una
clásica chaqueta Chanel roja, blanca y azul (que
Inès de la Fressange, dejándose llevar por el
momento, arrojó al público en un gesto rockero).

EL NUEVO CHANEL Nº 5

Coincidiendo con el lanzamiento del perfume
Nº 5 de Chanel, la colección rindió homenaje
a la fragancia más famosa en todo el mundo.
Multitud de dobles de Jean Seberg de la era de
Sin aliento desfilaron por la pasarela, repartiendo
ejemplares del *Herald Tribune*. El periódico
incluía un suplemento publicitario en color donde
figuraba un artículo sobre Chanel escrito por
Lagerfeld y una fotografía de Carole Bouquet,
el nuevo rostro de Chanel Nº 5 (también
protagonizó la primera proyección comercial
de Ridley Scott). El número de la suerte de
Coco Chanel estaba grabado en todo, desde los
pendientes colgantes con grandes «5» dorados
hasta collares con colgante, pulseras muñequeras
y cinturones de cadenas.

El traje emblemático se presentó en una versión
más bien cuadrada con unas faldas de lana
estrechas a juego, mientras que Lagerfeld optó
por unas rayas blanquinegras al estilo cárcel
para dar vida a los sombreros, vestidos vaqueros
blancos y zapatos de tacón bajos y botas, un *look*
al que llamó «romance rockero».

El vaquero fue otra tendencia clave de la
colección, que comprendía gorros de béisbol
de vaquero con camelias estampadas y vestidos-
abrigo de vaquero con botones de arriba abajo.
«El vaquero es el jersey de finales de la década
de 1980», proclamó Lagerfeld. «Será igual de
popular y duradero».

«FALDAS PARABÓLICAS»

Presentada en la Escuela de Bellas Artes, la
colección de alta costura apareció en un escenario
inesperado al final de la pasarela: una estatua de
Inès de la Fressange posaba como la Victoria alada
de Samotracia, con un bolso acolchado Chanel
en una mano alzada, una camelia en la otra; un
guiño al Museo d'Orsay, recién inaugurado, y
a su colección de esculturas excepcionales.

La nueva silueta de Karl Lagerfeld no era
menos impresionante. «La moda es un juego
de proporciones», declaró el diseñador mientras
presentaba su nuevo «microtraje» chaqueta
(reducido y llevado por encima de vestidos
ceñidos de lanas de cuadros escoceses a juego)
y lo que él bautizó como su nueva «falda
parabólica»: unos vestidos cortos de noche planos
por delante, pero altos y voluminosos por detrás,
animados por unas nubes ahuecadas de tul o tela
plisada («enaguas de cola de pato», tal como
las describió *Women's Wear Daily*). «Lo que me
gusta es el volumen gráfico», explicó Lagerfeld.
«No hay nada rígido en él. Puedes jugar con él,
está cortado como el pelo». «La costura en las
décadas de 1980 y 1990 no está hecha para los
museos. Está hecha para la vida, para la diversión,
para la creación de imágenes», concluyó.

CACHEMIRA Y VINILO

Karl Lagerfeld siguió desafiando las convenciones
de Chanel con una colección libre de espíritu,
joven e irreverente para la casa. El diseñador
reinterpretó la clásica chaqueta Chanel con
tweeds de colores vivos, piel acolchada (junto
con unas gafas de sol acolchadas a juego) y
cachemira con flecos, combinada con unas
minifaldas muy cortas.

Sus vestidos de cóctel cortos y sin tirantes
mezclaban pulcras rayas de vinilo negro con tul
negro frondoso, y la falda Chanel, reinventada
con unas nuevas proporciones, con las típicas
cadenas de la casa usadas como tirantes, se
llevaba incluso como vestido. «Me gusta coger
las cosas y darles un uso que se supone que no
deberían tener», señaló Lagerfeld.

COSTURA DE ÓPERA

Inspirada en la ópera del siglo XVII *Atys*,
de Jean-Baptiste Lully (en su producción de
1987 presentada en el Teatro de la Reina
de Versalles), Karl Lagerfeld creó una fastuosa
colección de alta costura rica en exquisitos
bordados Lesage.

Para el día, el traje Chanel se reinterpretó
en una nueva versión ahuevada, con unas
chaquetas de corte alto, cinturas ajustadas y
caderas con corte generoso, que se llevaban
sobre unas minifaldas y complementos
como grandes gorras de plato cubiertas
de tela, con manguitos de tela a juego con
ribetes de piel. Para la noche, Lagerfeld
presentó unas túnicas peplo sin tirantes
con bordados lingote de oro, y cubrió con
largos y refinados drapeados las caderas de
los cortos vestidos de cóctel, o los largos
y ceñidos vestidos con corpiño con colas
para un efecto «Versalles» espectacular.

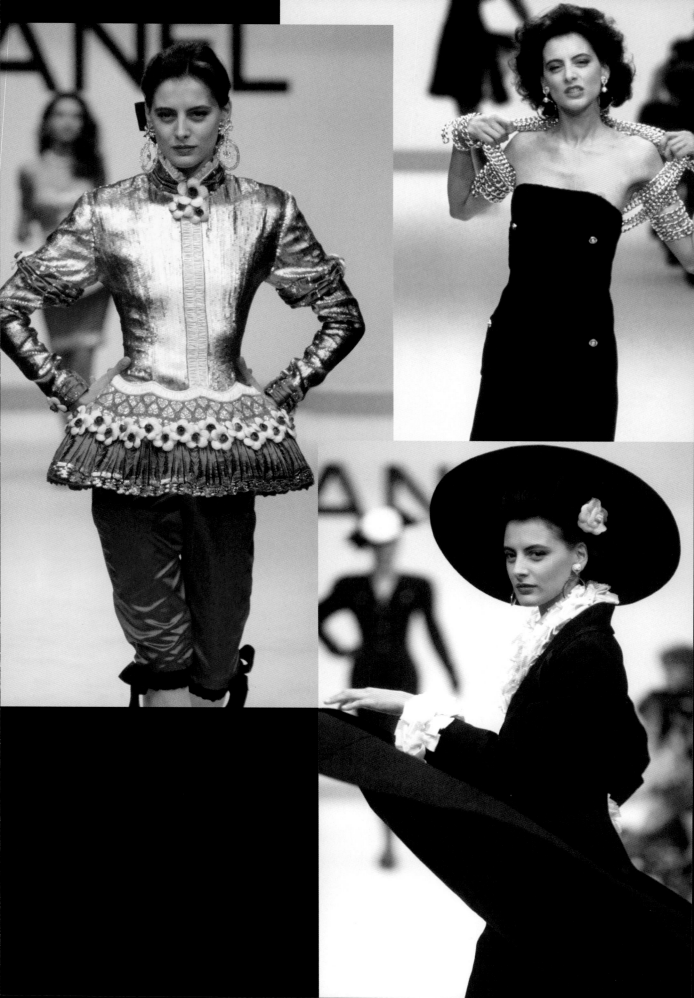

NUBES Y CAMELIAS

Presentada con un telón de fondo teatral de
nubes Chanel de color crema, la colección
de *prêt-à-porter* de Karl Lagerfeld fue una
oda irreverente a la camelia. Recuperada por
el diseñador, la flor preferida de Coco Chanel
se transformó en unos broches blancos
extragrandes sujetos a los cárdigan, camisetas
blanquinegras muy expresivas, cinturones,
collares y sombreros, así como unos llamativos
estampados multicolores que contrastaban
con las rayas blancas y negras que lo
decoraban todo, desde vestidos largos hasta
el suelo hasta faldas cortas, bolsos, parasoles
y zapatos.

Después de una serie de conjuntos con
suéter de cachemira de colores pastel y
trajes de chaqueta (estos últimos combinados
con sombreros, minibolsos y zapatos planos
Mary Jane de charol) para el día, para la
noche Lagerfeld presentó unas faldas y
vestidos cortos gitanos con volantes en
tonos rosa claro, seguidos de elegantes
minivestidos negros de chantillí combinados
con tops de cachemira y abrigos de tafetán.

PAMELAS Y FALDAS EN FORMA DE CÚPULA

Después de una colección de *prêt-à-porter* fantasiosa y llena de colorido para la firma (*véanse* págs. 76-79), Karl Lagerfeld presentó una colección de alta costura discretamente elegante en tonos negros, azul marino y blancos, todos ellos colores insignia de Chanel. «No siempre puedes bailar al son de la misma música», explicó.

El traje Chanel de esa temporada combinaba faldas en forma de cúpula con pliegues suaves o fruncidos que se ensanchaban sobre las caderas con chaquetas entalladas, lo que creaba unas formas cómodas que quedaban compensadas por unas espectaculares pamelas. Asimismo, se usaba el encaje como adorno en las chaquetas de cuadros escoceses para darles un toque romántico, mientras que los trajes de *tweed* de tonos claros estaban bordados con motivos de guirlandas del siglo XVIII y decorados con ribetes de *grosgrain*.

Para la noche, Lagerfeld se inspiró en las obras del pintor de corte del Segundo Imperio Franz Xaver Winterhalter, y presentó «vestidos Winterhalter» con escotes bañera, cintura alta, faldas largas y tul, plisados y encaje.

TWEEDS Y CUADROS ESCOCESES

«He quitado todos los efectismos de Chanel, pero no será aburrido», declaró Lagerfeld al presentar su nueva colección de *prêt-à-porter* para la marca.

Con boinas Chanel, faldas de cuadros escoceses en tonos rojos o verdes junto con tops de encaje negro y corpiños de terciopelo, así como pantalones amplísimos conjuntados con cómodos cárdigan de cachemira y pañuelos de vivos colores, la colección evocaba fotografías de Coco Chanel vestida con uno de sus mejores conjuntos de *tweed* de campiña, tomadas mientras estaba de vacaciones en Escocia con el duque de Westminster y su amiga Vera Bate en la década de 1920, un homenaje de la década de 1980 a Escocia, años antes de que viera la luz la colección de Chanel especial de Lagerfeld en Edimburgo (*véanse* págs. 532-537).

EL CHANEL SHAKESPEARIANO

Karl Lagerfeld se fijó en el estilo de la época isabelina para esta colección de costura de otoño/invierno, presentada en el Teatro de los Campos Elíseos. «Hay una influencia del siglo XVI y un toque de Shakespeare», declaró el diseñador.

Lagerfeld quedó «tan deslumbrado por la reciente exposición "Tiempos de la caballería" en la Real Academia de Londres», según reveló *Vogue*, «que "tradujo la época medieval" directamente en su colección para Chanel: un largo vestido de noche negro presentaba un escote bajo y sinuoso en forma de V, un jubón de terciopelo estaba bordado con cadenas de oro y ribeteado con encaje de Brujas».

Asimismo, incluía trajes con unas proporciones nuevas (con chaquetas que caían sobre unas largas faldas completas de color negro fruncidas por la cintura, con unas cadenas de oro a modo de cinturón), que llevaban como complementos pañuelos de muselina enrollados en la cabeza y debajo de los sombreros. Para la noche, Lagerfeld presentó unos vestidos ajustados de muselina de color negro, rojo o lila, unos vestidos largos hasta el suelo y sofisticadas chaquetas con pliegues, bordados y gorgueras, incluida una fastuosa chaqueta bordada de terciopelo con cuello y puños medievales, lucidos por Inès de la Fressange.

También en la línea de Shakespeare, cada conjunto llevaba el nombre de un personaje del autor, y Ofelia, la novia enfundada en un largo vestido blanco drapeado, fue quien cerró el desfile.

COCO EN BIARRITZ

Karl Lagerfeld llevó de nuevo a Chanel a la costa
del País Vasco para esta colección, que se inspiró
en el Biarritz de la década de 1920. Coco Chanel
descubrió esa localidad turística costera en 1915,
y ese mismo año abrió una sucursal de su casa
de modas de París en una lujosa villa situada
enfrente del casino. La iniciativa tuvo un éxito
rotundo, y clientes acaudalados de Biarritz (un
destino vacacional de moda para los aristócratas
rusos desde el siglo XIX) y de España (la vecina
España se mantuvo neutral durante la Primera
Guerra Mundial) se apresuraban a encargar las
innovadoras creaciones de Chanel.

La reinterpretación que hizo Lagerfeld del estilo
de Biarritz (el diseñador llamó a la colección
«el Biarritz de la década de 1980») mostraba
unos trajes con hombros redondeados –«Estoy
muy cansado de las hombreras», confesó el
diseñador a *Women's Wear Daily*, «pero no
parecen aburridas [...] Todos sabemos cómo
hacer trucos. Son divertidas, pero, si todo
el mundo las espera cada temporada, sí que
se vuelve algo aburrido»–, abrigos alargados
de talle bajo combinados con pantalones
amplios y sueltos y faldas plisadas hasta la
media pantorrilla, así como cuellos marineros,
pantalones cortos de pernera ancha, suéteres
universitarios y una gama de colores muy náutica.

HOMENAJE A NANCY CUNARD

Esa temporada, Karl Lagerfeld presentó una
colección dinámica y ligera para el sello, inspirada
en los vestidos «crucero» delicadamente
drapeados y con incrustaciones de joyas que
llevaba Nancy Cunard, la escritora, heredera y
activista política extraordinariamente distinguida
a quien Lagerfeld dedicó la colección, según
Vogue.

«Todo es completamente ingrávido,
desestructurado y dinámico, dinámico,
dinámico», aseguró Lagerfeld a *Women's Wear
Daily* para presentar su «frágil» silueta. «La línea
se aparta ligeramente del cuerpo, pero jamás lo
oculta», añadió. Los bajos eran largos. «Todo
es largo... Corto, simplemente, no me gusta...,
[aunque] la mayoría de mis faldas largas juegan
con unas transparencias y varias capas». Lagerfeld
hizo una advertencia: «No puedo decir que lo
largo sea el futuro a largo plazo de la moda,
porque la moda no lo tiene. Eso es lo que la
convierte en moda, al fin y al cabo».

Los pliegues tan característicos de la siguiente
colección del diseñador para la marca (*véanse*
págs. 98-101) hacen su aparición aquí, con faldas
plisadas de telas suaves como chifones y *georgettes*.
Las faldas y los vestidos se conjuntaban con
zapatos planos elegantes y llevaban complementos
como cinturones (que se usaron bajos sobre las
caderas para crear lo que *Women's Wear Daily*
describió como «cinturas de ilusión óptica:
cinturas altas con cinturones que colgaban
bajos») o cristales de estrás, que Lagerfeld
combinó con los vestidos de noche de seda o
satén para sujetar un pliegue de tela o resaltar
la cintura.

MINITÚNICAS Y MEDIAS DE LUJO

Karl Lagerfeld descartó los pantalones para esta colección, y, para conjuntar los redingotes, los suéteres *trompe l'oeil* y las chaquetas largas estilo cárdigan (remodelados con torsos «alargados y ligeros», hombros estrechos y cinturas movibles), optó por las microminitúnicas y medias a juego. El diseñador llegó a denominar las medias de canalé «el pantalón de la década de 1990», alegando que adelgazan más la pierna que los pantalones normales».

Los accesorios eran omnipresentes, con unos cinturones de eslabones de espiral dorados apoyados en la cadera, broches y collares colocados encima de todo tipo de prendas, desde camisas plisadas, blusas y vestidos ceñidos por la cadera hasta vestidos de noche cortos o largos que combinaban los pliegues con el drapeado de telas suaves como la muselina y la *georgette*, «porque su transparencia me seduce», confesó Lagerfeld a *Vogue*.

LA COLECCIÓN OCULTA

Para esta colección de alta costura, presentada en
el Palacio de Chaillot, en el Trocadero, Lagerfeld
se inspiró en una creación que la propia Coco
Chanel no había visto: la chaqueta que fue la
piedra angular de la colección de 1939 que nunca
pudo presentar a causa del estallido de la
Segunda Guerra Mundial.

Distanciándose de las chaquetas cuadradas y las
faldas cortas de colecciones anteriores, la versión
que hace Lagerfeld del diseño de *Mademoiselle*
es estrecha y muy ceñida desde los hombros
hasta la cintura, pero se desborda por encima
de las caderas. Entalladas a las curvas de la mujer
y cortadas en una línea más curvilínea, estas
chaquetas hablan de mujeres «que no tratan
de parecerse a sus parejas», explicó el diseñador
a *Vogue*.

«Todo está en las costuras, y es muy propio
de la costura en el sentido de que está hecho
a medida», explicó Lagerfeld. «No es sexi
con curvas baratas, sino sutil y sofisticado».
Combinadas con suaves faldas de *georgette* y
muselina, las chaquetas se lucían durante todo
el día hasta la noche («Las mujeres quieren esa
sensación cómoda por la noche también», apuntó
el diseñador), y reflexionó sobre la preeminencia
del oro en el conjunto de la colección, desde
chaquetas de lamé acolchadas hasta las fastuosas
de terciopelo negro envueltas en bordados
dorados.

EL VESTIDO-CHAQUETA

La primera colección de alta costura de la nueva
década para Chanel lanzó una nueva silueta
angulosa y expresiva, con unas chaquetas estrechas
de hombros en unos tonos mayoritariamente
blancos y negros (con algunos destellos de rosa).

Lagerfeld presentó una innovación: el «vestido-
chaqueta», una «versión más sinuosa del clásico
vestido-abrigo», escribió *Vogue*. La suave
pero entallada silueta, que Lagerfeld describió
como «moldeada», se logró con un «corte
circular» con costuras «que rodeaban el cuerpo»
para sujetarlo con firmeza, y se combinó con
unos espectaculares sombreros de ala ancha.

Las prendas de noche, como los corpiños
de chantillí negros conjuntados con vestidos
superpuestos de muselina negra, resaltaban
los encajes y las transparencias, y llevaban como
complementos perlas extragrandes engastadas en
pulseras, pendientes y gargantillas de oro gigantes.

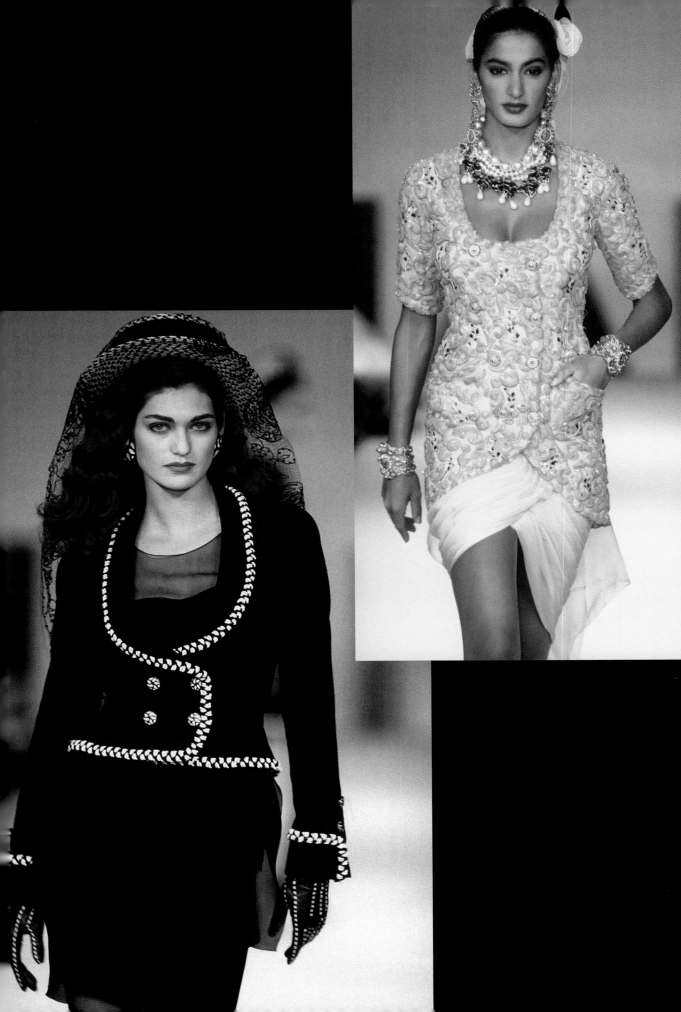

UN NUEVO CONCEPTO
DEL BOLSO CHANEL

Lagerfeld dedicó esta colección a reinventar el
clásico bolso acolchado de Chanel con multitud
de materiales, formas y proporciones. Una réplica
gigante del emblemático bolso negro formaba el
escenario de la pasarela, y los dosieres de prensa
que había en cada silla eran unos falsos bolsos
de terciopelo con cadenas a modo de asas, que
acentuaban aún más el tema de la colección.

El bolso tradicional se presentó en diferentes
versiones: *oversize*, de terciopelo o piel, en
colores vivos, o exageradamente largo y estrecho
(un guiño a la famosa *baguette* francesa), y el
diseñador incluso lo transformó en un sombrero.

Siguiendo su idilio con unas muy vistosas joyas
de oro (*véanse* págs. 106-113), Lagerfeld lanzó
unas cadenas con grandes piedras preciosas
incrustadas que se llevaban bajas sobre las caderas
y unas pulseras, broches y pendientes de oro
espectaculares sin una forma determinada.

El diseñador también presentó unas parkas
exclusivas con botones dorados, refinados
números acolchados y abrigos de tela gruesa
de lana de color beis y con ribetes satinados
en tela de seda sobre unos pantalones ajustados.
La idea de las parkas de Chanel le vino por
Susan Gutfreund, según explicó Lagerfeld a
Vogue. «Para mí, es una mujer con mucho estilo.
En invierno, llevaba una parka de esquí negra
como ropa de diario en París. Así que pensé:
"¿Por qué no creo una para Chanel?"».

«SURFISTA DE CIUDAD»

Para esta colorida y pícara colección de
primavera, Karl Lagerfeld ofreció una
ingeniosa interpretación de los elementos
más emblemáticos de Chanel: las modelos
lucieron en sus cabezas unas camelias
enormes de colores vivos, así como una
generosa cantidad de perlas blancas y
abalorios de colores a modo de collar
sobre sus camisetas básicas, o bien se los
pusieron como cinturones sobre mallas muy
ajustadas y pantalones cortos de ciclista.

Los bolsos acolchados de Chanel eran
omnipresentes y se combinaban con
conjuntos tan variados como trajes cortos
de Chanel, ropa de playa y leotardos Chanel
muy chics, a la vez que Lagerfeld presentó
un nuevo *look* al que llamó «surfista de
ciudad, porque es perfecto para sumergirse
en la vida nocturna desde París hasta Roma,
Londres o Nueva York» (una inspiración
en el surf que prefiguró su colección de
prêt-à-porter primavera/verano 2003 para
la marca; *véanse* págs. 314-315). Es una
«buena manera de mezclar una chaqueta
con todo: mallas, una falda de chifón corta.
Simplemente, cogí el estilo deportivo del
surfista y lo plasmé en lentejuelas del color
de las olas de California. La tabla de surf
que llevaba Linda Evangelista en la mano
pretendía dar otro toque de humor e
ingenio al espectáculo», explicó el diseñador
a *Vogue*.

Los famosos «vestidos gitanos» largos hasta
el suelo con volantes de la década de 1930 de
Coco Chanel también fueron reinterpretados
para la década de 1990 en una versión más
deportiva y sexi de diferentes piezas, con
faldas sujetas por la cintura con una cinta
enorme que las modelos se quitaban al final
del evento para mostrar sus leotardos negros.

PERLAS, SEDAS Y VIDEOCÁMARAS

Esta lujosa colección de alta costura exhibió
sedas y tules refinados, perlas y joyas *statement*,
todos con los distintivos colores Chanel –negro,
blanco y azul marino–, con algunos toques
añadidos de rosa y amarillo.

La colección se centraba especialmente en
los trajes opulentos y las prendas de noche,
e incorporaba algunos de los elementos que
ya había presentado Lagerfeld en su anterior
colección de *prêt-à-porter* (*véanse* págs. 122-125),
si bien es cierto que en unas encarnaciones
algo más conservadoras «de confección». Las
camelias extragrandes aún estaban presentes,
pero servían de adorno para las chaquetas de
los trajes en vez de ser unos accesorios para el
pelo caprichosos, y las faldas desmontables de
la colección anterior inspiraron unas faldas
delantal de organza que se anudaban sobre el
traje clásico y no sobre unas medias («Yo la llamo
la falda cúpula voladora», explicó el diseñador
a *Women's Wear Daily*. «Marca la cintura y da
volumen a las caderas»).

Entre otros toques contemporáneos, se incluyen
las faldas plisadas con cintas voladoras de un
rosa estridente (que Lagerfeld bautizó como
«faldas escocesas con vuelo»; «los trajes de
cinta de *grosgrain* son de cintas de rayón y
algodón económicas [...] lo que el consumidor
paga es el trabajo», ya que se tarda 190 horas
en confeccionar un traje de cinta con falda
con vuelo, según explicó el diseñador a *Vogue*),
modelos que desfilaban por la pasarela con
flamantes videocámaras en la mano, y una novia
divorciada, Linda Evangelista, que cerró la gala
acompañada por su «niño pequeño».

EL «NUEVO RAPERO»

«Las nuevas reglas son que no hay reglas», declaró Karl Lagerfeld a *Vogue* para presentar la colección que describió como el «nuevo rapero». «Tener más estilo ahora significa un nuevo planteamiento moderno y completo de las normas establecidas», prosiguió el diseñador. «Debemos llevar la moda al límite, con un lamé elástico dorado durante el día o una chaqueta *biker* de piel encima de un vestido de chifón [...] Pienso que un poco de vulgaridad, que refleje todos los elementos y las contraculturas del mundo actual, confiere a la moda un sentido de vitalidad, una nueva energía, como las especias en las comidas sosas».

En efecto, se reformularon las normas de la alta moda mediante una colección que mostró, en primer lugar, una serie de conjuntos vaqueros: faldas vaqueras con flecos, trajes de *tweed* con adornos de tela vaquera y trajes vaqueros con adornos de *tweed*, vaqueros lucidos por debajo de vestidos de noche, e incluso botas de tela vaquera. «La propia Chanel hizo cosas más atrevidas que esto; llegó a confeccionar vestidos jersey con tela de ropa interior masculina. Así que, ¿por qué no utilizar el tejano? Todo el mundo lo lleva menos yo», declaró Lagerfeld.

El diseñador reinterpretó la falda de cinta que había incluido en su anterior colección de alta costura para la marca (*véanse* págs. 126-129), y en esa ocasión la mostró con diferentes colores y longitudes, e incluso presentó reveladoras «faldas» hechas solamente con una gran cantidad de cadenas de oro lucidas sobre bodis de red.

La piel era otra de las tendencias clave de la colección, con gorras acolchadas inspiradas en el rap, corpiños de piel negros, chaquetas *bomber* de piel y chaquetas de piel acolchadas que se llevaban con vestidos de noche de chifón, *faille* y tafetán y con botas de motero.

Lagerfeld ofreció, además, una orgía de enormes accesorios dorados. «Con los accesorios, olvídate de las palabras *elegante, distinción, correcto*. Estoy dispuesto a acabar con el vocabulario clásico de Chanel», confesó el diseñador a *Vogue*. «Coge metros de cadenas y cinturones de metal y llévalos hasta la noche».

La pasarela en sí también estaba totalmente cambiada: en un extremo se había instalado una pantalla electrónica para anunciar mensajes como «*tweed* tecnicolor» y «*Attachez vos ceintures*» («Abróchense los cinturones»), todo al son de la melodía de *Shaft* y «Born to be Wild».

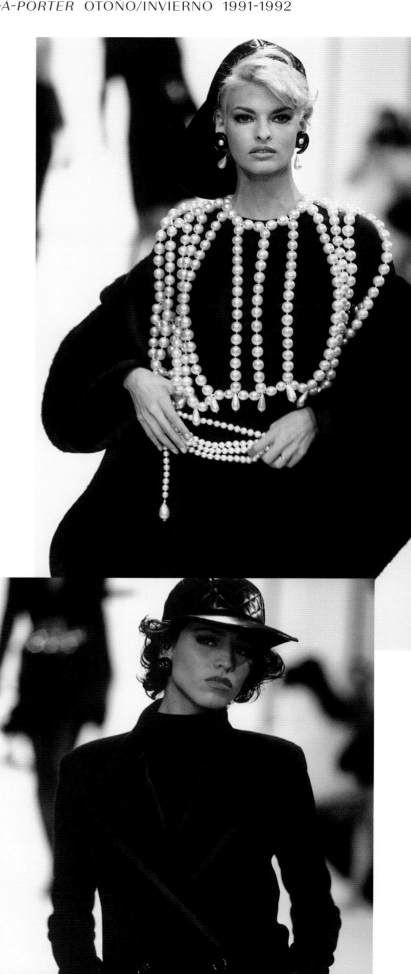

UN FESTIVAL DE TUL

Presentada en la Escuela de Bellas Artes de
París, la nueva colección de Karl Lagerfeld
para Chanel era muy ligera, una oda a un
tejido en concreto: el tul de seda negro
(confeccionado expresamente para la marca
por un fabricante de tejidos de Lyon, la
ciudad de Francia cuya fama en la industria
de la seda se remonta a siglos atrás, puesto
que ya no podía abastecerse con una
producción normal).

El diseñador usó kilómetros y kilómetros
de tul negro en chaquetas, vestidos, faldas
y abrigos. «La gran ventaja es que te
mantiene en calor porque es seda de verdad,
aunque es muy ligero», explicó Lagerfeld
a *Women's Wear Daily*, con la promesa
de que sus abrigos de tul drapeados eran
tan calientes como las pieles.

«Con todo este tul plisado tan ligero, mis
clientes flotarán entre las nubes», declaró
Lagerfeld, que bautizó con el nombre de
«Bailarina urbana» la vaporosa y elegante
silueta de la colección. «Está hecha para
la bailarina urbana, que patina a través
del aburrimiento diario de la vida y flota
a través del misterio», calzada en este caso
no con zapatillas de *ballet*, sino con unas
botas planas de plástico transparente. Las
modelos desfilaban por la pasarela al son
de un remix de rap de «These Boots Are
Made For Walking».

Los espectaculares sombreros creados
por el diseñador de sombreros de señora
Philip Treacy también resaltaron el tul,
que a veces se combinaba con plumas o
plástico para crear esos fascinantes diseños
como «la jaula para cabeza Chanel», «el
vikingo» (con unos «cuernos» de plumas
sujetos a la corona por dos camelias) y
«el transparente» (con un ala de plástico
transparente).

«UNA VISITA AL BOSQUE
ENCANTADO»

Muchos años antes de la colección de
Chanel inspirada en la vida en la granja
(*véanse* págs. 456-459), Karl Lagerfeld
buscó ideas en la naturaleza, y presentó
bolsos en forma de seta, sombreros de
paja cargados de frutas del bosque, hojas
de higuera doradas (lucidas sobre la
entrepierna, al estilo Adán y Eva), ramas
de árboles a modo de collar, montones de
trigo (uno de los símbolos de la suerte
de Coco Chanel), guirlandas de hiedra
mezcladas con camelias y un largo etcétera.
«Todo forma parte de mi visita al bosque
encantado», afirmó Lagerfeld.

Sin embargo, el traje emblema de Chanel no
había caído en el olvido. «Coge la chaqueta
corta y ceñida y ponla por encima de una
falda larga y estrecha, y tendrás la proporción
más renovada de la ciudad», manifestó
el diseñador a *Vogue*. «Solo que ahora
la sensación es más natural [...] Pones una
camiseta sin mangas de hombre debajo
para que sea más terrenal. Es más moderno,
pero conviene a un determinado estilo
de vida».

«LA FALDA DESESTRUCTURADA»

Karl Lagerfeld revolucionó los códigos del estilo
clásico de Chanel en esta colección de alta
costura. La chaqueta Chanel se presentó en una
versión ajustada como un guante con botones
extragrandes, por lo que debía abrocharse por
detrás. «Cuando los botones son tan grandes, no
los puedes abrochar como si fuera una chaqueta
ceñida», explicó el diseñador a *Vogue*. «Y quería
que la silueta fuera muy ceñida y muy limpia,
con unas largas faldas que dejan al descubierto
gran parte de la pierna».

La silueta era «tremendamente consciente del
cuerpo», con faldas que caían más abajo de la
rodilla («Lo largo, con una tela elástica, es lo
que se lleva [...] No hay microminis», dijo el
diseñador), y apareció en unas variantes ajustadas,
con cortes y cremalleras e incluso rotos. A esta
última, una falda de tiras de organza o chifón,
Lagerfeld le puso el nombre de «la falda
desestructurada», y se inspiró en uno de sus
libros favoritos, *Pleasure of Ruins*.

Las telas tradicionales de Chanel también se
reinventaron, con chaquetas confeccionadas
con lentejuelas de vivos colores y rafia tejida de
modo que pareciera *tweed*, y ribeteadas con piel
trenzada («encajes de piel», en palabras de
Lagerfeld). La piel sustituyó la clásica cadena
de oro Chanel de la colección, que contenía
multitud de borlas de piel e incluso unos tejanos
de cuero de cintura alta.

Las perlas también desaparecieron de la pasarela,
sustituidas por abalorios de vidrio de colores,
mientras que los espectaculares sombreros
al estilo «nube» y los zapatos de plataforma
de corcho altísima con encaje de gladiador
compensaban la rigurosa silueta.

EL *LOOK* DE PIEL

Siguiendo con su exploración de los temas
introducidos en su colección anterior para la casa
(*véanse* págs. 148-153), aunque con una versión
más sosegada de la confección, Karl Lagerfeld
recuperó los botones extragrandes puramente
ornamentales (muchos de sus trajes incluían
cremalleras laterales) y, lo más importante,
la piel.

En tonos rojos o negros, la piel estaba en todas
partes: desde los bolsos acolchados del tamaño
de una maleta hasta abrigos largos hasta el suelo,
vestidos ajustados, chaquetas de traje, faldas
lápiz, monos, pantalones ceñidos y material de
boxeo de la marca Chanel. Incluso las chaquetas
tradicionales de *tweed* se recuperaron en esta
línea, con el corte de chaqueta de motorista
perfecto (y combinadas con faldas negras de piel)
o bien con chalecos de piel, mangas o solapas
incorporados.

Al sonido de la discoteca a todo volumen
(desde Donna Summer, Sister Sledge y Abba
hasta el tema principal de *Dinastía*, que cerraba
la gala), Lagerfeld también sacó vestidos, blusas
y pantalones de seda dorada muy ceñidos
conjuntados con anchos abrigos y chaquetas
Loden cruzados inspirados en la confección
militar bávara.

LA COMUNIÓN DE LA DÉCADA
DE 1930 CON LA DE 1970

Descrita por *Women's Wear Daily* como
«Jackson-Pollock-conoce-a-Janis-Joplin», la
atrevida colección de alta costura de Lagerfeld
se inspiró en la década de 1930 y la de 1970.
«Posee la sensibilidad de ambas décadas, no
solamente la despreocupación y la inocencia
de los setenta, sino también el expresionismo
audaz de los treinta», explicó el diseñador a
Vogue. «La necesidad de autoexpresarse en ambas
décadas es muy tentadora ahora porque nos
hemos convertido en grado excesivo en una
sociedad del espectáculo».

La silueta en sí misma se conservó simple:
«O es muy entallada, o bien suelta y dinámica
[...] La locura viene de los complementos»,
añadió Lagerfeld, que había pedido a Philip
Treacy que diseñara sombreros que «pareciera
que los hubiera hecho un niño en el rincón de
juegos», e ideó una serie de chaquetas con un
corte precioso (largas o cortas, levitas, de corte
cuadrado o ceñido). «Necesitas una chaqueta
del mismo modo que necesitas una casa; el resto
es opcional», declaró Lagerfeld.

Los colores explotaron en las zapatillas de *tweed*,
en las pelucas pintadas a mano con aspecto
lacado y en los bolsos de Chanel pintados con
espray, y el apoteósico final fue descrito por
The Sunday Times como «un montaje psicodélico
de trajes y vestidos hechos con una amalgama de
aplicaciones y bordados de terciopelo», o, como
manifestó Lagerfeld a *Women's Wear Daily*,
bordados que estaban diseñados para parecer
«el interior de una compactadora de basura en
una casa acomodada el día después de Navidad».
«Debes probar suerte, si no, no es divertido»,
concluyó el diseñador.

ROPA INTERIOR DE ALTA MODA

Karl Lagerfeld reinventó la ropa interior al estilo Chanel para esta colección, presentando unos *slips* blancos con la palabra *Chanel* estampada en la cinturilla. «Las mujeres se lo han robado todo a los hombres, ¿por qué no su ropa interior?», comentó el diseñador a *Women's Wear Daily*. «Además, son la forma que más favorece [...] Son blancos, limpios, frescos [...] No podemos estar completamente rodeados de oscuridad y tinieblas».

El diseñador también presentó unos largos corsés muy bien tallados que caían sobre las caderas y se llevaban con boleros y pantalones de lino blancos de pernera ancha (estos últimos estaban inspirados en una fotografía en la que aparecía Coco Chanel de vacaciones en el yate del duque de Westminster). «Son simplemente las tendencias del momento, materializadas como si Coco tuviera veinticinco hoy en día», añadió Lagerfeld.

CONFECCIÓN (*TAILLEUR*) VS. SASTRERÍA (*FLOU*)

Karl Lagerfeld mezcló el chifón romántico con *tweed* ligero para esta colección de alta costura, que el diseñador describió como «lujo sosegado, sin ostentación».

Es «una mezcla de confección (*tailleur*) y sastrería (*flou*), chaquetas de *tweed* muy ligeras con vestidos de estampados de flores, muchas transparencias», explicó el diseñador. «Combino chaquetas "sobreconstruidas" que presentan las cinturas tan ceñidas de la década de 1950 con los vestidos "infraconstruidos" que tienen la suavidad de la década de 1930».

Los vestidos llevaban como complementos pesadas incrustaciones de ágata o cruces de cristal de roca, a la vez que el diseñador añadió un elemento inesperado a sus prendas de noche: el plástico, en forma de sujetadores de plástico transparente, corsés con huesos y largos pichis dorados.

«SUPERCORTO»

«Lo supercorto es la gran sorpresa de esta temporada», declaró Karl Lagerfeld. Después de apostar por unos dobladillos largos (*véanse* págs. 148-154), el diseñador cortó las prendas a la altura del muslo y presentó unos microvestidos y microfaldas de *tweed* conjuntados con unas medias gruesas, calcetines para caminar y botas de senderismo de terciopelo planas para una actitud activa y urbana (que recordaba las pesadas botas y calcetines que el diseñador presentaría algunos años después, en su colección de *prêt-à-porter* otoño/invierno 2011-2012 para la marca; *véanse* págs. 498-501).

«No hay que olvidar que el largo tiene que ver con la transparencia, por lo que veréis mucha pierna y movimiento», explicó el diseñador a *Women's Wear Daily.* «Pero cuando todo el mundo lo copió, debía ir a algún otro lado [...] Estas prendas tan cortas, que se llevan con zapatos planos y calcetines pequeños, recuerdan más a un escolar tirolés en pantalón corto que las prendas cortas hipersexuadas de la década de 1980».

«Ahora los vestidos de noche se tejen a mano como los calcetines, con mitones y bonitos calcetines invisibles, que se llevan con botas militares de terciopelo», continuó Lagerfeld. «A continuación, añadimos un poco de tul o de bordados discretos, porque lo suntuoso y cargado no funciona, o, simplemente, algunas hojas doradas naturales en el pelo. Durante el día, se llevan los pantalones acampanados drapeados de cachemira y seda; se debe conservar el mismo espíritu que en el *prêt-à-porter*, con unas telas y técnicas distintas», concluyó el diseñador.

«EL NUEVO CORSÉ»

Karl Largerfeld introdujo lo que él denominó
«el nuevo corsé» para realzar la cintura –«esa
parte del cuerpo que favorece tanto cuando
es pequeña y definida», explicó el diseñador a
Vogue– creando un nuevo «minitraje de cuatro
piezas» para la marca: sujetador (o camiseta;
las blusas estaban prohibidas), chaqueta, micro
o minifalda y corsé *midriff*, todos de un *tweed* de
colores vivos conjuntados con bordes trenzados.
«Después de toda la moda oscura, el color había
vuelto. [Yo] era como un niño jugando con un
estuche nuevo de lápices de color».

El diseñador también presentó unas camisetas
bondage con sujetadores integrados combinadas
con tejanos raperos extragrandes o pantalones
bermudas negros sujetos con unos tirantes en
los que se leía «Chanel». «Se trata de ser elegante
con actitud», comentó Lagerfeld.

SOMBREROS DE JAULA Y POLISONES

Karl Lagerfeld añadió un toque surrealista a
esta colección de alta costura, presentando unos
sombreros de jaula con plumas que envolvían el
rostro de la modelo y, de acuerdo con *Women's
Wear Daily*, sugerían un «casco de moto con
visera hecho con plumas negras». «Son como
coches con ventanas negras», dijo Lagerfeld.
«Puedes ver el mundo, pero el mundo no te
puede ver a ti».

El clásico traje Chanel se reinterpretó
confiriéndole unas proporciones nuevas, con
unas faldas muy cortas y largas y holgadas
chaquetas que cubrían las minifaldas casi por
completo, combinadas con sencillas blusas de
seda blancas con lazos. Las chaquetas anchas
«se parecen más a los vestidos que a los trajes»,
observó Lagerfeld. «Se inspiraban un poco
en las largas chaquetas estilo camisa de sedoso
crepé de China de mi madre, que ella jamás
se quitaba».

Las prendas de noche de corte imperio («como
camisones silenciosos») estaban confeccionadas
con telas vaporosas y muy finas, en que el chifón
se mezclaba con canesús estructurados sobre
vestidos drapeados. «Quería que el chifón fuera
tan ligero como el aire, como la neblina que
envuelve París», dijo bromeando Lagerfeld.

Inspirado en las fotografías de Coco Chanel
ataviada con los ampulosos vestidos que
evocaban el siglo XIX, junto con polisón y cola,
Lagerfeld incluso reintrodujo el polisón en
sus vestidos de noche y de novia. «La idea
es recuperar el polisón, hacerlo más ligero y
colocarlo sobre un vestido de muselina sencillo,
pero con un corte muy favorecedor. Esto es
lo moderno», manifestó a *Vogue*.

PIELES Y CINE

Abrazando la tendencia de la moda, la colección de *prêt-à-porter* de Karl Lagerfeld reinventó el clásico traje Chanel con unos ribetes de piel (sintética) de colores ácidos. «Se trata de libertad y diversión después de unos años sombríos en un mundo sombrío», declaró el diseñador.

Los complementos, aunque limitados en número en comparación con colecciones anteriores («No soy partidario de muchos complementos esta temporada», dijo Lagerfeld), siguieron esta actitud alegre y chistosa, desde las fundas de móvil con incrustaciones de cabujón hasta cantimploras hechas de cadenas doradas de Chanel retorcidas, parecidas a las que serían inmortalizadas en la escena del gimnasio de la película de culto *Fuera de onda*.

De modo un tanto premonitorio, el propio escenario de la pasarela era un guiño al cine; como escribió *Vogue*, el diseñador «critica fervientemente la fracasada película sobre la industria *Prêt-à-Porter* y crea su propia versión de cine de realidad en la misma pasarela con una silla de director, una cámara de cine simulada y luces Klieg».

FESTEJO DEL EFECTO *BUSTIER*

El corsé, al que Lagerfeld ya había rendido
homenaje en colecciones recientes para la firma,
tuvo un papel protagonista en la colección de
alta costura, aunque en esta ocasión el diseñador
eligió centrarse en el *bustier* en vez del corsé
midriff, que ya había presentado antes ese mismo
año (*véanse* págs. 180-183).

«Todo está cuidado y estructurado [...] y todo
está basado en el corpiño», explicó Lagerfeld,
que se refirió al *look* como «la nueva pureza [...]
nada de alboroto, ni de tumulto, todo en
alta definición, como dicen por televisión».
«Debajo de la chaqueta, el corpiño se ajusta
a la perfección, con un tórax estrecho, unas
mangas muy, muy estrechas y unos hombros
cuadrados diminutos impecables», explicó a
Women's Wear Daily, y añadió: «No tiene nada
que ver con la poderosa manga de la década
de 1980. No es necesario volver a ella».

Las chaquetas, de corte largo y ceñido, se
combinaban con faldas acampanadas que
se asentaban en las caderas y llegaban hasta la
rodilla. «Jamás tocaban la cintura, si no habrían
parecido una falda de campesina anticuada»,
añadió Lagerfeld.

MICROTRAJES

Presentada en un decorado inspirado en la
Riviera, la colección de primavera/verano de
Lagerfeld para Chanel fue una de las más sexis
que había creado hasta el momento. El traje
Chanel era reducido y corto, y la chaqueta era
una versión estrecha, recortada y pequeña de
hombros, combinada con unas minifaldas altas
de cintura con un corte en la parte anterior
que dejaba al descubierto una ropa interior
de *tweed* a juego, «minúscula y consciente del
cuerpo», como dijo textualmente Karl Lagerfeld.

Como final apoteósico, desfilaron treinta clones
de Coco enfundadas en tops negros, tiras de
perlas, pantalones blancos de lino altos de cintura,
alpargatas blanquinegras y turbantes decorados
con camelias que unos modelos masculinos de
cuerpo atlético llevaban sobre los hombros por
la pasarela; se recreaba una fotografía de 1937
en la que aparecía Coco Chanel vestida con un
atuendo parecido encaramada sobre los hombros
de un amigo íntimo, el bailarín de los Ballets
Rusos Serge Lifar, durante sus vacaciones en
el sur de Francia.

UN HOMENAJE A SUZY PARKER

«Sientes que este es el momento adecuado para
la costura», declaró Lagerfeld a *Women's Wear
Daily* antes de esta nueva gala. «Es el final de
siglo, y entramos en nuestra propia *Belle
Époque*». Fiel a su palabra, el diseñador presentó
una colección esencialmente de alta costura.

En parte inspirado por la modelo de la década de
1950 Suzy Parker, Lagerfeld reinventó el clásico
traje Chanel a partir de unas líneas más largas y
esbeltas, con un toque ligeramente retro: alargó
el corsé que había introducido en colecciones
anteriores (*véanse* págs. 184-187), subió la cintura
y usó un collar de perlas de una vuelta a modo
de cinturón.

El negro dominaba la colección. «No es el blanco
en el sentido de blanco, es blanco en el sentido
de chic», bromeó el diseñador, a la vez que
añadió varios toques náuticos suntuosos: tops
a rayas y faldas hasta el suelo que, desde lejos,
parecían hechas de punto de lana. No estaban
estampadas, sino bordadas (por Lesage, por
supuesto) para crear un *look* al que Lagerfeld
bautizó como «playa al atardecer».

GENDER BENDING

Lagerfeld tomó prestados elementos de la ropa masculina, del mismo modo que la propia Coco había hecho en su día, liberando la clásica silueta Chanel y empezando con una serie de albornoces conjuntados con zapatos *wing-tip* de hombre.

«El estado de ánimo está en el ambiente [...] Ya nada está prohibido», afirmó Lagerfeld de esta mezcla de géneros. «Juego con lo estructurado y lo desestructurado».

El diseñador presentó multitud de distintas formas de chaqueta, que se llevaban con voluminosos pantalones, vestidos, o bien faldas de cachemira hasta la rodilla. Asimismo, los complementos reflejaban el foco masculino/ femenino de la colección, con gafas *nerdy* combinadas con vistosos lazos negros o camelias blancas, mientras que el clásico bolso acolchado Chanel se reinventó en una versión minibaúl.

Como brillante colofón, las modelos se reunieron en la pasarela vestidas con *blouses d'essayage*, es decir, las prendas blancas que las modelos lucen tradicionalmente entre pruebas y cambios, que se quitaron con un solo gesto para dejar al descubierto los pequeños vestidos negros que llevaban debajo.

«KARL SE VA AL CENTRO»

«Karl se va al centro» es como *Women's Wear Daily* describió esta colección sexi de vivos colores con influencia americana, que presentaba *looks* tejanos de pies a cabeza, suéteres de terciopelo de colores estampados con la doble C (que lucía Iggy Azalea en una personificación rosa bebé en su videoclip «Fancy», inspirado en *Clueless*), e incluso los pantalones de soldado típicamente americanos se reinventaron como chinos Chanel de tiro bajo.

«Quiero que esto sea una chispa de esperanza y alegría», dijo Lagerfeld. «Es un poco fantasioso, un poco glamuroso, optimista y alegre […] Una pequeña figura regresa al cuerpo, pero son curvas suaves. La conciencia del cuerpo está relajada».

Incluso la característica trenza Chanel se recreó y se presentó en una reluciente versión de plástico, con unos trajes de noche de seda marfil ribeteados con irisadas piedrecitas de plástico de color naranja y amarillo, mientras que los ligeros vestidos de verano llevaban estampados los iconos del estilo Chanel, desde el zapato bicolor hasta el bolso negro acolchado.

CHANEL
31 RUE CAMBON

EL EJÉRCITO DORADO

Citando la canción «You're in the Army Now»
de Status Quo, como una de sus fuentes de
inspiración –«Es una de mis canciones favoritas»,
declaró el diseñador, «solo que este es un
ejército de bellezas»–, Karl Lagerfeld presentó
una colección que aunaba la confección de estilo
militar con la opulencia del oro.

El color estaba por todas partes, desde el lamé
dorado hasta los cinturones de malla dorada (ya
presentados en su anterior colección en versión
de alta costura; *véanse* págs. 218-221), que lo
complementaban todo, desde chaquetas ceñidas
de hombros anchos hasta prendas de punto con
hilo metalizado, pasando por los conjuntos de
terciopelo negro que cerraron el desfile, entre
los que se incluían sencillos vestidos-abrigo
ceñidos hechos a medida.

«Volvemos a un mayor grado de fantasía»,
explicó Lagerfeld a *Vogue*, «pero las chicas
parecen distintas, las proporciones son distintas,
el contexto es distinto […] Hay una falta de
humor en toda esta moda minimalista. La ropa
es, simplemente, ropa. No estamos aquí para
transmitir un elaborado mensaje intelectual
y filosófico».

ESTILO ECUESTRE

Celebrada en el Espace Branly con modelos
que bajaban a toda velocidad por una cinta
transportadora instalada para la ocasión en el
centro de la pasarela, la colección primavera/
verano 1997 de Karl Lagerfeld para Chanel
se distanció del estilo militar de su anterior
colección de *prêt-à-porter* para la casa (*véanse*
págs. 222-225). De hecho, se inspiró en una
fotografía en la que aparecía Coco Chanel
montada a caballo y vestida con una camiseta
blanca, una corbata negra, un sombrero de
ala ancha y –muy atrevido para una mujer en
ese tiempo– pantalones de montar que había
mandado confeccionar a un sastre de su localidad.

«Después del *look* militar, toca el *look* de establo»,
bromeó Lagerfeld. «El motivo de la colección vino
de esa [fotografía] [...] Hay pantalones de montar
por todas partes, en gabardinas estampadas, piel,
algodón... Todo lo que puedas imaginar», explicó.

El color también cobró protagonismo, con gran
cantidad de llamativos estampados florales en
tonos azul, rosa, amarillo y rojo, mientras que el
colofón del desfile fue una explosión de vestidos
de lentejuelas de un sinfín de colores. «Es como
terciopelo hielo picado», explicó el diseñador
a *Women's Wear Daily*. «Hay más de cuarenta
vestidos distintos como este en estos colores
tan frescos y tan claros. Es el hielo veraniego
en terciopelo glaciar».

CUENTOS DE HADAS NÓRDICOS

Karl Lagerfeld regresó a sus raíces del norte
de Europa (como lo volvería a hacer varios
años más tarde; *véanse* págs. 498-501) con una
colección influida por las tendencias nórdicas,
cuyas fuentes de inspiración son tan diversas
como los caballeros suecos, la escritora danesa
Karen Blixen, la obra *Hedda Gabler* de Henrik
Ibsen, Hans Christian Andersen y el director
cinematográfico sueco Ingmar Bergman.

Presentada en los sugerentes jardines del
Museo Rodin, la colección introdujo una
estilizada silueta alargada y se caracterizaba
por un predominio de los tonos negros y
grises, combinados con lo que el diseñador
describió como «colores empañados».
La ropa de uso diario de línea depurada
contrastaba con la espectacular ropa de
noche, provista de nubes de tul y encajes y
de complementos como enormes sombreros
que parecían «salidos de los cuentos de hadas
nórdicos».

«Es un poco austero», explicó Lagerfeld, pero es
«modernidad combinada con poesía y rigurosa
frivolidad [...] Posee un toque melancólico que
proviene del norte».

SESENTA AÑOS DE COCO

Karl Lagerfeld rindió homenaje a toda la vida y las creaciones de Coco Chanel en esta colección, que, según declaró, se inspiró en «su legado espiritual [...] Se trata de explicar lo que Chanel hizo en su vida, pero viendo qué repercusiones ha tenido hoy en día».

Dividida en seis secciones independientes, cada una de las cuales comprendía aproximadamente diez años de la vida de *mademoiselle* Chanel (desde «Coco antes de Chanel» hasta «la Coco romántica y Montecarlo» y «Chanel ahora y después»), la colección hizo un repaso y reinterpretaciones de lo más destacado del estilo Chanel, desde las merceditas Mary Janes inspiradas en la década de 1920 y los trajes de baño tipo camiseta náuticos hasta vestidos de encaje románticos inspirados en los distintivos «vestidos gitanos» de Coco Chanel de la década de 1930, y, por supuesto, el célebre traje de falda Chanel, presentado en fastuosos *tweeds* multicolores tejidos por Lesage.

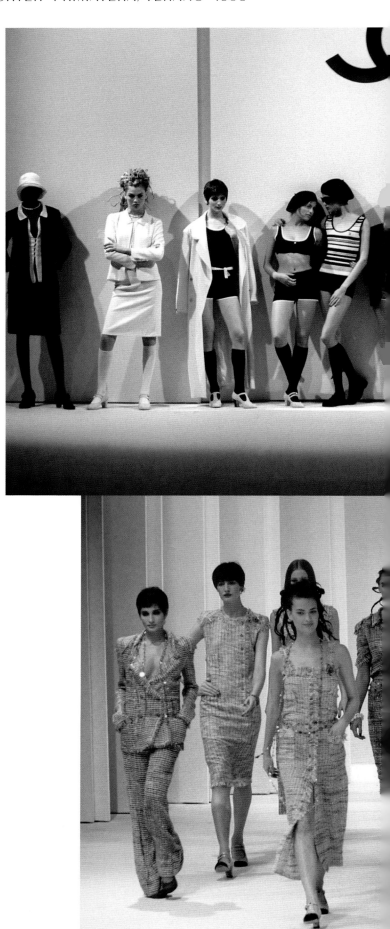

CHICAS *FLAPPER* Y *CONCIERGES*

Después de mostrar su colección de *prêt-à-porter*
en el Carrusel del Louvre, Karl Lagerfeld volvió
a trasladar a Chanel a los salones de alta costura
de la calle Cambon para una presentación más
íntima, y también para lanzar una nueva tónica
de «privacidad e intimidad para los pocos
afortunados», según explicó a *The Daily Telegraph*.

Inspirada en las décadas de 1910 y 1920 (muchos
de los vestidos de noche ricamente bordados
evocaban las siluetas y figuras de la época anterior
a la Primera Guerra Mundial, mientras que las
modelos lucían redecillas de tul al estilo de
las *flappers* bordadas con estrás y cristales), la
colección apostaba por el «chic cotidiano» y
la comodidad. Los «cárdigan de alta costura»
de cachemira (tejidos para la firma en Escocia)
se llevaban por encima de faldas hasta la rodilla
y con complementos con cordeles de perlas
auténticas para un «estilo "*concierge* desenfadado"»,
en palabras textuales de Amanda Harlech.

LA DEAUVILLE DE COCO

Karl Lagerfeld evocó el estilo y la atmósfera de
los días que Coco Chanel pasó en Deauville y
Biarritz a finales de la década de 1910 y principios
de la de 1920, con tonos de blanco náutico,
casquetes, faldas holgadas de seda suave, abrigos
largos y trajes de falda hasta el tobillo.

La silueta clave de la colección estaba inspirada
en un libro de las esculturas jemer, con «un
contorno de pecho estrecho, ceñida al torso,
y un hombro muy definido», como señaló
Women's Wear Daily. «Es incluso más frágil
porque las mangas son casi más grandes que
el torso», declaró Lagerfeld.

Sin embargo, el diseñador no solamente
se remontaba en la historia de Chanel: la
emblemática camelia se reinterpretó para obtener
una versión en neopreno blanco, y la colección
supuso el lanzamiento del nuevo bolso «2005»
de Chanel (*véase* fotografía, pág. 259). Bautizado
con el nombre del nuevo milenio y el número
de la suerte de Chanel, el bolso tiene una forma
inconfundible inspirada en el torso de una mujer
(puesto del revés), y fue diseñado para ser «tan
respetuoso con el cuerpo» como fuera posible.
«Es ligero como una pluma y está pensado para
que abrace cualquier parte del cuerpo», dijo
Lagerfeld.

INFLUENCIAS JAPONESAS

Karl Lagerfeld llevó el estilo Chanel al lejano
Oriente con una colección zen muy inspirada
en Japón. El diseñador presentó siluetas suaves
y elegantes, a las que se refirió como «una
evolución de la línea. Yo quería volumen, pero
no peso, una sensación de movimiento llevado
por el viento».

Las joyas quedaban reducidas a la mínima
expresión y eran puras, con líneas simples
(grandes discos de oro, cruces realistas, cadenas
de eslabones a modo de cinturones o collares),
así como las labores de bordado. «Cuando
estás trabajando en una nueva proporción,
no puedes cargarla de cosas porque no la ves [...]
Hay muchísimas prendas ornamentadas de otras
firmas. Me apetecía tomar aire fresco», confesó
Lagerfeld a *Women's Wear Daily*.

CONJUNTOS DEPORTIVOS

Después de una colección de alta costura muy elegante (*véanse* págs. 254-257), Karl Lagerfeld orientó Chanel hacia una dirección totalmente nueva: un estilo decididamente deportivo con chaquetas cortas y ceñidas (incluidas algunas de piel muy cortas) que se llevaban por encima de largas faldas de satén, trajes de baño atléticos, sandalias bajas o con poco tacón, y sin apenas los trajes clásicos o logos de Chanel.

En vez de los famosos *tweeds* de la firma, Lagerfeld se inclinó por las telas del inminente siglo XXI, tales como el neopreno y las mezclas de nailon y poliéster, y exhibió el nuevo bolso tan futurista de Chanel, el «2005» de forma redondeada (*véase* pág. 250). Se presentó en colores distintos, desde el verde claro hasta el naranja, el rojo o el rosa, e incluso se usó como almohada cuando una de las modelos en biquini se quitó la túnica y se tumbó sobre él como si quisiera tomar el sol en la pasarela, en mitad de la Ópera de la Bastilla.

CONFECCIÓN SUAVE

Tras haber desaparecido casi totalmente de
la anterior colección de Karl Lagerfeld para la
firma (*véanse* págs. 258-259), el traje Chanel
volvió a la escena, aunque en una versión de
proporciones nuevas: la chaqueta era pequeña
y estrecha, y se llevaba por encima de unas
faldas vaporosas o unos pantalones largos y
holgados. «Mi colección es precisa como un
grabado y suave como un esbozo; este es el
espíritu», declaró Lagerfeld a *Women's Wear
Daily*. «En el mismo conjunto, el cuerpo está
definido por arriba, pero la forma se suaviza
a la altura de la cintura y a lo largo de las
piernas. Es caliente y frío».

Como le corresponde a una colección de
alta costura, las prendas estaban confeccionadas
con telas exclusivas, que eran resaltadas por
algún que otro brillante e intricado bordado
y presentadas en tonos tenues de rosa, gris y
cáscara de huevo, todos los cuales eran «nuevos
para Chanel», como señaló Lagerfeld.

A LAS PUERTAS DEL SIGLO XXI

Karl Lagerfeld concluyó el siglo XX de Chanel
con estilo y sin nostalgia. Más de setenta
modelos desfilaron por una gran y depurada
pasarela gris donde se leía «1999-2000» en
unas letras gigantes, para presentar una
colección que rendía homenaje a la célebre
gama blanquinegra de la firma, si bien
mirando hacia el futuro.

Descrita por *Women's Wear Daily* como
una comunión de temas de «la era espacial
y góticos», la colección siguió centrando
su atención en la silueta desarrollada por
Lagerfeld en colecciones anteriores –unas
chaquetas ceñidas y cortas, y tops que se
llevaban por encima de pantalones o faldas
anchos–, para ofrecer una versión moderna
del traje Chanel. «Es mi visión de lo que
Chanel debería expresar hoy: comodidad»,
declaró Karl Lagerfeld a *Vogue*.

COSTURA GEOMÉTRICA

En esta colección, dominaron la construcción
impecable y las formas engañosamente simples,
incluida una serie de trajes de *tweed* con «entrada
oculta» que se abrían por la costura de los
hombros para eliminar cualquier tipo de botones
o volumen («Tuve que hacer algo un poco al
estilo Einstein», confesó Karl Lagerfeld a
Women's Wear Daily).

Los cortes perfectos se realzaban con pinceladas
de color (como el rojo intenso y un rosa
«escandaloso»), bordados intricados de las firmas
de Lesage, Montex, Hurel y Lanel, y toques de
fantasía, desde puntiagudos accesorios para el
pelo hasta llamativa ropa de noche en forma
de A, incluido un espectacular vestido acolchado
rojo largo hasta el suelo.

ESTILO ACOLCHADO

Presentada en un decorado a gran escala provisto de hasta cuatro pasarelas –dos de un azul eléctrico y dos de rosa fuerte– que ocupaban «casi toda la longitud de un campo de fútbol» (según *Women's Wear Daily*), la colección se centraba en los estampados florales y colores vivos con luminosos tonos azules, amarillos, rojos y verdes que se retomarían en la siguiente colección de alta costura de Lagerfeld para Chanel (*véanse* págs. 272-275).

La estrella de la gala, sin embargo, fue el distintivo acolchado de Chanel, que, como es bien sabido, se usaba en el emblemático bolso 2.55. Aquí se reinventó en una versión a una escala mucho mayor y más cuadrada, casi como una tableta de chocolate, y se transfirió a unos tops sin mangas, chaquetas cortas, minivestidos y, lo que resulta más sorprendente, guantes voluminosos con sus bolsos a juego.

COSTURA COLORIDA

Karl Lagerfeld se centró en trajes y colores vivos
para esta colección de alta costura, presentada
en una pasarela serpenteante de un centro de
equitación del Bois de Boulogne. Comprendía
«solamente» 58 *looks*, «pero podría haber creado
muchos más», según manifestó Lagerfeld a
Women's Wear Daily, «porque tenemos muchos
clientes y quieren trajes, trajes y más trajes».

Los trajes en cuestión se reinventaron en forma
de vaporosas faldas completas, una forma que,
según Lagerfeld, se inspiraba en su deseo de
«volumen con movimiento». «No podemos
crear faldas estrechas durante el resto de nuestros
días», declaró, pero también insistió: «¡Este no
es el nuevo *look*!», a pesar de que la silueta
recordaba en gran medida al estilo de la década
de 1950 impulsado por Christian Dior (que era
muy repudiado por Coco Chanel porque creía
que limitaba el movimiento de las mujeres).
Sin embargo, se añadió un toque de Chanel
inconfundible al peinado, con el pelo recogido
en moños que simulaban la forma de las camelias,
un guiño a la flor preferida de *Mademoiselle*.

BLANCO HIBERNAL

Después de varias colecciones sin perlas, Karl
Lagerfeld recuperó estos iconos del estilo Chanel
en versiones extragrandes enhebradas en collares
que se llevaban encima de abrigos enguatados
de invierno y trajes de esquí de color blanco,
a modo de cinturón encima de faldas blancas
pulcramente plisadas, o dispuestos encima de
múltiples pañuelos. «Las perlas son parte del
legado de Chanel», declaró Lagerfeld, «pero
necesitaban un aire nuevo para salir de su
aburrido cliché de señora».

Bebiendo de la impecable tradición en la
confección de la firma, Lagerfeld presentó una
serie de abrigos elegantes y entallados que se
llevaban encima de vestidos y faldas, con lo
que amplió el gusto de la marca Chanel por
el acolchado, desde el emblemático bolso 2.55
hasta prendas de punto y medias en tonos
invernales de gris, beis, ciruela, verde y marrón.

UN CÍRCULO COMPLETO

Karl Lagerfeld lanzó Chanel al siglo XXI con una
inyección de color, y esta colección, la última
del año 2000, no era una excepción: modelos
luciendo todos los tonos de rojo, rosa, azul,
coral y lila desfilaron por una escalinata de neón
multicolor convertida en pasarela, construida en
el Carrusel del Louvre para la ocasión.

El círculo era el motivo recurrente de la colección,
y aparecía en estampados, bordados en blusas,
vestidos y faldas transparentes, decorando medias,
e inspirando el nuevo bolso «circular».

Lagerfeld declaró que su intención era que las
modelos «caminaran sobre luz en todos los
elementos de Chanel, mezclados de nuevo para
2001». Las propias modelos habían escrito «Coco»
no solamente en los coloridos velos de tul
bordados que cubrían sus rostros (y que volverían
en una versión sin logo en la siguiente colección
de alta costura del diseñador para la firma; *véanse*
págs. 288-291), sino también en sus guantes y
uñas; estas últimas, artificiales y pintadas con un
barniz fabricado especialmente para la ocasión
y adornado con esquirlas de diamante.

PERLAS Y VELOS

Karl Lagerfeld se fijó en las creaciones de Coco
Chanel de la década de 1930 para esta colección
de alta costura eminentemente femenina donde
predominaban el blanco y el negro, y que
se presentó en una pasarela flanqueada por una
impresionante cadena trenzada por un lado.

Sus faldas flamencas con volantes, concretamente,
eran un guiño a los fastuosos «vestidos de
gitana» que *Mademoiselle* lanzó en la década de
1930 para conjuntar con sus distintivos vestidos
de noche de encaje tan sofisticados, cuyo espíritu
Lagerfeld también reinterpretó aquí usando telas
transparentes bordadas y con lentejuelas.

El emblemático traje Chanel se reinventó para
dar vida a unas versiones delicadas con unos
ribetes exquisitamente trenzados, que llevaban
como complementos cordeles de perlas,
cinturones con incrustaciones de joyas, guantes
de encaje y velos sujetos a canotiers alegres o
que se prendían en el pelo, recogido en un gran
moño lateral para añadir volumen a la silueta.

«COCO POP»

Coco Chanel conoció al icono del arte pop
Roy Lichtenstein con motivo de su ocurrente
e ingeniosa colección de invierno, para la que
Karl Lagerfeld creó versiones de colores atrevidos
inspiradas en Lichtenstein de algunos de los
retratos de *Mademoiselle*, incluidos fotografías
tomadas por Man Ray y Horst P. Horst, con
unos bocadillos añadidos en que se expresaba
este pensamiento: «Solo una gota del Nº 5».

Estas creaciones «Coco pop» adornaban los
coloridos suéteres a rayas (formaba parte de un
look de montañero total al estilo Chanel), así
como relucientes bolsos *clutch* sin asas de color
negro; además, el logo con la doble C de Chanel
estaba estampado en manguitos de piel, orejeras,
muñequeras y collares blanquinegros.

También hizo aparición el reno, un guiño
a las preciosas esculturas de ciervos y ciervas
en el apartamento de la propia Coco Chanel,
danzando en los cuellos de piel o como broches
sujetos a las prendas de punto, blusas y vestidos
estampados con una nueva cadena Chanel.

VELOCIDAD Y ROMANTICISMO

Presentada en el Carrusel del Louvre en una
larga y serpenteante pasarela de acrílico, la
trepidante colección de Lagerfeld era todo
energía y velocidad. Abrió la gala un nuevo
look motero de piel con tonos rojo y azul pastel,
rematado con una chaqueta de piel, pantalones
con cremallera, un collar cronómetro, zapatillas
de deporte bicolor, guantes y un casco a juego
estampado con el logo de la doble C de Chanel.

El acolchado emblemático del bolso 2.55 de
Chanel dio paso a chaquetas deportivas cortas
y acolchadas, *microshorts* y botas de piel, mientras
que la segunda parte de la gala mostró conjuntos
románticos y sofisticados en negro, blanco y
dorado, una multitud de juegos de transparencias
con un toque sexi añadido.

PRINCESAS ROCKERAS

El grupo belga de rock electrónico Vive la Fête puso la música en directo a esta gala, que incluyó una versión de inspiración tecnológica del «Je t'aime... moi non plus» de Serge Gainsbourg y Jane Birkin. Su carismática y rubia cantante, Els Pynoo, había llamado la atención de Karl Lagerfeld. «Esta chica me encanta», dijo. «Podría ser una nueva clase de rubia. No quiero decir con eso que no me guste la rubia de siempre».

La onda sexi del rock'n'roll se tradujo claramente en una colección que reinventó los códigos de Chanel, situándolos en un contexto rockero, desde el estilo bohemio de la década de 1970 hasta los *looks* góticos o *heavy metal*, con un toque ocasional de actitud de colegiala rebelde.

Las modelos lucían largas extensiones de pelo con cadenas metálicas, chaquetas moteras de piel con la cremallera bajada para revelar los tops de encaje, *hotpants* con lentejuelas y botas de piel negra. Incluso el distintivo *tweed* de Chanel se había vuelto metálico, y el famoso traje chaqueta se transformó en una minichaqueta entallada, reluciente y con flecos que se llevaba directamente sobre la piel.

EL CAFÉ MARLY

Años antes de que la Brasserie Gabrielle viera
cómo Chanel creaba su propia cafetería en toda
regla (*véanse* págs. 602-607), Karl Lagerfeld llevó a
Chanel al Café Marly, la única cervecería con estilo
situada en el centro de las Tullerías, cuya terraza
tiene vistas a la emblemática pirámide del Louvre,
para una gala de colección crucero especial.

Rindiendo homenaje a la elegancia del tradicional
uniforme blanquinegro de los camareros franceses,
el diseñador presentó una gama de colores muy
monocroma, con abundancia de camisas de un
blanco riguroso que se llevaban debajo de unos
chalecos negros entallados (reinventados en lujosas
versiones con lentejuelas), conjuntados con faldas
blancas hasta el tobillo o largos delantales blancos
y complementados con ristras de las distintivas
perlas de Chanel.

ELEGANCIA EDUARDIANA

Presentada en los salones de alta costura
recientemente renovados de la sede de
Chanel en la calle Cambon, la colección ponía
énfasis en el traje y «trataba de contrastes:
serenidad y frivolidad, vicio y virtud, lo sagrado
y lo profano», según declaró Karl Lagerfeld.

La famosa chaqueta Chanel se reinventó para
dar paso a una nueva forma ceñida y alargada
de mangas estrechas y cuellos de encaje altos,
una silueta que recordaba el estilo eduardiano
y los vestidos de montar femeninos del siglo XIX.
Esta chaqueta se combinaba con florecientes
faldas de patinadora ribeteadas con volantes
de tul bordado y con lentejuelas, mientras que
los vestidos de noche incorporaban una cintura
baja que evocaba a las *flappers* de la década
de 1920.

Los vestidos negros y grises con un corte
marcado e impecable eran un complemento
ideal para la intricada labor de bordado, las
enaguas bordadas con cuentas, los bajos con
incrustaciones de joyas, las delicadas redecillas
adornadas con *paillettes* relucientes y los zapatos
con hebilla en el tobillo con cuentas doradas.
Ello explica que Lagerfeld decidiera volver
a un entorno más reducido y tradicional para
presentar la colección de alta costura. «Esta
colección implica mucha confección», afirmó el
diseñador. «Quería que la gente la viera realmente
de cerca. Quedaría un poco difuminada en una
habitación grande. Me apetecía algo íntimo,
un desfile de confección de verdad».

LA OLA SURFERA

Presentada en una deslumbrante pasarela geométrica, la colección reformuló el gusto de Chanel por los temas náuticos, e incluyó chaquetas ligeras (adornadas con perlas o ribeteadas con trenzados con incrustaciones de cristales), anchos pantalones *palazzo*, maxivestidos de tirantes con biquinis a juego y microminifaldas, que eran una tendencia clave de la temporada.

Con predominio de la gama blanquinegra, esta fue una colección decididamente joven y activa, como se puso de manifiesto cuando se levantó el telón al fondo de la pasarela y apareció un bote neumático con el monograma CC, y un equipo de chicas surfistas Chanel desfilaron por la pasarela. Lucían unos biquinis muy sexis, unos tops *bandeau* y *minishorts* con ristras de perlas, camelias y pequeños bolsos deportivos Chanel como complementos, así como botas de agua, cometas Chanel y tablas de surf Chanel. «Todo es *sportif*, ¿verdad?», comentó Lagerfeld.

UNA CONSTELACIÓN
DE CONFECCIÓN

Para inaugurar esta nueva serie de colecciones
de *métiers d'art*, Chanel organizó un desfile de
carácter privado titulado «Satélite del amor»
en los salones de alta costura de la calle Cambon,
presentando una colección de edición limitada
de poco más de treinta diseños especialmente
creados por Lagerfeld para rendir homenaje
a las destrezas únicas de los cinco talleres (a los
que Lagerfeld denominó «satélites») que había
adquirido la firma recientemente. Según Chanel,
la colección significaba su «compromiso con estas
empresas con las que hemos compartido desde
hace mucho tiempo estrictas normas de calidad,
exclusividad e innovación».

Esta nueva constelación incluía a Desrues
(un diseñador de alta joyería que lleva muchas
décadas trabajando en las cadenas, collares,
cinturones, broches y hebillas Chanel), Lemarié
(para las plumas y las flores artificiales; Lagerfeld
calificó a *monsieur* Lemarié como el «señor de
las camelias»), el afamado bordador de alta
costura Lesage, el zapatero Massaro (que ha
colaborado codo con codo con Chanel desde
1957, cuando la famosa sandalia beis con puntera
negra satinada, creada por *mademoiselle* Chanel,
hizo su debut) y el diseñador de sombreros de
señora Michel (establecido en 1936 y proveedor
de primeras marcas de moda desde entonces).

«FRAGILIDAD»

Para conmemorar el vigésimo aniversario de
Karl Lagerfeld en Chanel, la diáfana colección
de alta costura giraba en torno a la «fragilidad,
todo es casi ingrávido», según el diseñador.
Incluso los aclamados trajes de *tweed* de la firma
se volvieron más etéreos, con *tweeds* hechos
jirones y, luego, cosidos al tul, y dobladillos y
puños vaporosos en tul y bordados con flecos.
Eran «ligeros como una pluma», le dijo Amanda
Harlech a Hilary Alexander. «Podrías formar
una bola con ellos».

Coronada con unos singulares medio canotiers,
la silueta era delgada, con unos ceñidos
abrigos de *tweed* inspirados en las líneas de
un abrigo de marajá, por ejemplo, y se mezclaban
el negro y el blanco, los colores insignia de
Chanel, con los colores pastel *fondant*, mientras
que Lagerfeld continuó jugando con las
transparencias: «modernas, sugerentes, pero
no se puede ver a través», explicó el diseñador.

«LUZ BLANCA»

Titulada «Luz blanca», la colección ofreció una interpretación en buena parte en blanco y negro de un guardarropa de invierno, con estilizadas figuras vestidas con *tweed* y piel. Unas botas blancas de tacones altos de la era espacial y unos brillantes calentadores negros hasta el muslo (algunos en una versión de piel para un aire más motero) añadían un toque sexi, y Lagerfeld rindió homenaje a la costura con complementos ingeniosos, entre los que se incluían collares hechos con cierres automáticos y corchetes extragrandes.

Lagerfeld puso énfasis en la característica mezcla de Chanel de los estilos femeninos y masculinos, realzada por la canción de Blur «Girls & Boys» como banda sonora, con una serie de dinámicos conjuntos deportivos de invierno y una confección estricta, mientras que el tradicional traje Chanel de *tweed* se reinventó en una versión de minifalda muy corta y adornada con bordados de vivos colores inspirados en la serie de *Composición suprematista* del pintor Kazimir Malevich de la década de 1910.

EL PAÍS DE LOS DULCES

Karl Lagerfeld nos sirvió una auténtica golosina
con esta nueva colección crucero, a base de
alegres estampados de helados adornados con
tops finos, faldas, vestidos sin espalda, bolsas de
viaje y pareos. A su vez, el traje Chanel adoptó
unos colores claros de sorbete y acaramelados,
desde el rosa algodón de azúcar hasta el amarillo
limón y el verde pistacho.

Los graciosos conjuntos se combinaban con
multitud de complementos, desde casquetes
y sandalias veraniegas de tacón alto inspirados
en la década de 1920 hasta gafas de sol rosas
translúcidas, gorros de algodón para el sol,
pendientes en forma de estrella, cinturones
con incrustaciones de joyas y broches «CC»
en forma de corazón.

ACCESORIOS MUSICALES

Karl Lagerfeld propuso una colección joven y
energética para el verano, con modelos desfilando
por una pasarela de madera blanca al sonido de
la banda de culto de la década de 1970, Blondie.
Los elementos Chanel clásicos se reinventaron
de unas formas inesperadas: las camelias se
presentaron como tejidos de punto blanquinegros,
los collares largos tenían como abalorios unos
discos de vinilo en miniatura con las CC grabadas
en vez de perlas, y el bolso Chanel se reinventó en
versiones de magnetófonos. «Trata sobre Chanel,
pero restándole importancia», le dijo Lagerfeld
a Sarah Mower, «dulce, pero no demasiado
refinado».

El distintivo *tweed* de la firma cobró protagonismo,
y apareció en colores pastel suaves y en forma
de trencas con ribetes de *tweed* expresamente
diseñados por Lesage. «No sé por qué no se me
ocurrió antes», comentó Lagerfeld. «Una idea
sencilla, añadir el trenzado [...] a la trenca, y,
en cuanto lo ves, sabes que es Chanel».

EN HONOR A LA ARTESANÍA

Tras su colección inaugural «Satélite del amor»
(*véanse* págs. 316-317), Chanel presentó su
segunda colección dedicada a exhibir la
extraordinaria virtuosidad de los cinco talleres
métiers d'art Chanel adquiridos en 2002: la
prestigiosa firma de bordados de Lesage («para
mí, la alta costura sin bordados no existe», afirmó
Lagerfeld), la casa especializada en el arte de las
plumas y la confección de flores Lemarié, la casa
de sombreros Maison Michel, el taller de
zapatería Massaro y el diseñador de alta joyería
Desrues; todos ellos pertenecientes a una
tradición de grandes fabricantes de alta costura
parisina, muchos de los cuales pervivieron hasta
el siglo XXI.

Celebrada en los íntimos salones de alta costura
de la calle Cambon de Chanel, la gala fue
amenizada por música en directo, cortesía de
la cantante de culto francesa Dani («Quería
un ambiente de club nocturno, como un viejo
Bal Tabarin», dijo Lagerfeld), con algunas de
las supermodelos más estelares del mundo
de la moda, entre ellas, Linda Evangelista,
Naomi Campbell, Eva Herzigová, Carla Bruni,
Laetitia Casta y Nadja Auermann, que se
congregaron para lucir las prendas especiales
de esta colección limitada. «Son conjuntos
extremadamente sofisticados», explicó Lagerfeld,
«creaciones entre la alta costura y el *prêt-à-porter*
que satisfacen una necesidad real de prendas
originales a lo largo del año».

«LA DUALIDAD DE LOS CONTRASTES»

Fusionando adornos de la alta costura con
la confección estricta, la nueva colección de
alta costura de Lagerfeld para Chanel llevó por
título «La dualidad de los contrastes». «Una
paradoja, una mezcla de severidad y frivolidad;
en eso consiste el atractivo sexual moderno: en la
ambigüedad», explicó el diseñador, y añadió que
deseaba que la colección fuera «muy francesa en
actitud, como solo lo puede ser un extranjero».

Dominada por una gama blanquinegra muy
contrastada, la colección incluía austeras
chaquetas de confección combinadas con faldas
provistas de flecos o volantes, y blusas hinchadas
conjuntadas con faldas lápiz, de silueta recta;
una exhibición perfecta para los dos talleres
que colaboran en crear cualquier colección de
alta costura: *atelier flou* (confección de vestidos)
y *atelier tailleur* (sastrería), así como los
paruriers (casas de adornos), los creadores de
los impresionantes bordados que hacían resaltar
maravillosamente la espectacular alta joyería de
Chanel que complementaba las prendas de día
y las de noche.

«COCO LO COGIÓ DE LOS CHICOS»

Karl Lagerfeld se dirigió hacia lo masculino/
femenino para esta colección de Chanel,
presentada en una pasarela de asfalto (llamada
«Calle de sentido único») y bautizada como
«Coco took it from the boys» («Coco lo cogió
de los chicos»), un homenaje a los muchos
elementos que Coco Chanel tomó prestados de
las prendas masculinas y que reinterpretó para
los guardarropas femeninos. «Creo en el hecho
de que los chicos y las chicas compartan los
tejanos, las chaquetas y las camisetas», declaró
Lagerfeld.

Con chaquetas moteras, cárdigan de corte
cuadrado, suéteres deportivos y zapatos *brogues*,
la colección también recuperó la famosa chaqueta
de *tweed*, presentada aquí en una versión unisex y
lucida tanto por modelos hombres como mujeres.
También se mostraron prendas deportivas, como
una «línea de esquiar» Chanel que conjugaba
el *tweed*, la cachemira, el punto, el *mohair* y el
vaquero, un guiño a las innovadoras colecciones
deportivas de la propia *Mademoiselle* de
principios de la década de 1920.

UN CRUCERO POR EL SENA

Para la colección crucero 2004-2005, Karl
Lagerfeld invitó a sus huéspedes a emprender
un crucero de verdad por el río Sena, a bordo
de una embarcación fluvial parisina. Los clásicos
códigos del estilo Chanel se mezclaban con
motivos náuticos para la ocasión, desde *blazers*
(con sus propios penachos Chanel, por supuesto)
que se llevaban por encima de faldas plisadas
hasta las rodillas para obtener un estilo muy
a lo jugador de tenis de la década de 1920,
hasta collares de conchas y coral y pulseras
de colgantes en forma de pez.

Los *tweeds* también se reinterpretaron con un
espíritu veraniego, con trajes de baño de vivos
colores con estampados en *tweed*, suéteres
de tenis ribeteados de *tweed* y vestidos sueltos
con efecto *trompe l'oeil* con cárdigan de *tweed*
incorporados. Las prendas de noche cerraron
la colección, con maxivestidos de gasa vaporosos
en tonos beis, negro y azul.

«DÚOS DE CHANEL»

Karl Lagerfeld estructuró esta colección de
alta costura alrededor del concepto de «dúos»,
que significa que casi todos los conjuntos
de la colección poseían una doble identidad,
dispuesta en capas de modo que podía ser
interpretada de más de una forma. Mientras
las modelos desfilaban por la pasarela, añadían
o quitaban uno de los elementos del conjunto,
desde abrigos o chaquetas hasta capas o velos.

Con predominio del negro y el blanco, y
presentada en una estructura geométrica de
un blanco reluciente en los Ateliers Berthier
(donde se almacenan los decorados de la Ópera
de París), la colección jugaba con el volumen y
los materiales: los trajes de *tweed* se conjuntaban
con vestidos cortados al bies hechos de telas a
juego, los vestidos de chifón de cintura alta se
llevaban sobre unos largos vestidos tubo de
guipur que estilizaban la figura, y voluminosas
tiaras de tul añadieron un toque dramático
a los elegantes vestidos de noche negros.

CHANEL EN JAPÓN

En homenaje a los cinco talleres *métiers d'art*
adquiridos por Chanel a principios de la década
de 2000, la colección «París-Tokio» se presentó
en Japón para celebrar la inauguración de la nueva
torre de diez pisos de Chanel en la próspera zona
comercial de Ginza. Diseñada por el arquitecto
Peter Marino, la tienda Chanel más grande del
mundo está coronada por una terraza ajardinada
(bautizada como el «Jardín de Tweed») y cuenta
con un lujoso restaurante de Alain Ducasse
llamado Beige.

«El cinco es el número mágico de Chanel»,
declaró Lagerfeld, «y estas cinco firmas
dominan a la perfección el lenguaje de Chanel».
Imaginó la colección como un diálogo entre
la hipermodernidad de Japón y la artesanía
ancestral de los talleres de París de Chanel.
Las prendas de *tweed* y de punto se bordaban
con hilo dorado, se decoraban con pequeñas
estrellas o se trenzaban por los bordes, mientras
que las proporciones jugaban con los contrastes
(incluidos las minifaldas escocesas que se llevaban
con maxijerséis de cachemira), y el *look* del pelo y
el maquillaje se inspiraba en el mundo del manga,
lo que complementaba el toque futurista de la
colección. «Se busca el detalle refinado», explicó
Lagerfeld a *Women's Wear Daily*, «y hay también
una especie de sensación de rock japonés».

«JARDÍN FRANCÉS»

Bautizada como «Jardín francés», la colección
se presentó en un elegante «jardín» inspirado
en el siglo XVIII con un estanque de piedra gris
octogonal, una malla blanca de madera y un
jardín topiario adornado con camelias en flor;
un marco que anticipaba tanto el inmenso jardín
del Grand Palais de 2011 de Chanel (*véanse*
págs. 484-487) como su colección de crucero
de 2012 en Versalles (*véanse* págs. 520-523).

Inspirado por la Ilustración, en el siglo XVIII,
Lagerfeld modificó el emblemático traje de *tweed*
dándole unas nuevas proporciones y tonos de
marfil, perla, rosa, lila y negro. La falda apareció
en multitud de versiones distintas: con el borde
trenzado, con flecos, plisada, combinada con
grandes cinturones de hebilla o bordada
con lentejuelas, por citar solo algunas.

Los sombreros de cardenal, las pelucas de
plumas blancas (en lugar de pelo empolvado),
las mangas con volantes y los elegantes zapatos de
salón, unos elementos que se tomaron prestados
del traje del siglo XVIII durante el apogeo de
la corte de Versalles, se reinterpretaron de forma
contemporánea, mientras que los numerosos
lazos que adornan los corpiños de los vestidos de
Madame de Pompadour en muchos de sus retratos
se transfirieron a cortos vestidos de encaje.

MINIVESTIDOS NEGROS

Con sus minivestidos y su expresivo maquillaje
de ojos blanco y negro, las modelos de
Karl Lagerfeld para esta colección evocaron
a Penelope Tree, la modelo de referencia de la
década de 1960 descubierta por Diana Vreeland.
Con un predominio de los contrastados conjuntos
en blanco y negro, la colección conmemoró el
octavo aniversario del minivestido negro
impulsado por Coco Chanel, que aquí se presentó
en una multitud de reinterpretaciones: sobrio y
estricto con el añadido de un cuello de camisa
y puños blancos, en una muselina plisada con un
triple cuello «MacFarlane» muy romántico, o en
una versión de cóctel de satén negro con perlas
y cintas.

La colección también conmemoró el aniversario,
el quinto en esta ocasión, del famoso bolso
acolchado 2.55, creado por *mademoiselle*
Chanel en febrero de 1955. Por tanto, Lagerfeld
le concedió un lugar privilegiado en la colección,
combinándolo con conjuntos tanto de día como
de noche y creando una versión especial «de
aspecto *vintage*» en piel negra o gris envejecida
con cadenas de plata u oro.

«COCO CONOCE A JAMES DEAN»

Al sonido de «This Town Ain't Big Enough for Both of Us» de las Sparks (de la que hizo una versión Justin Hawkins, cantante de The Darkness), Lagerfeld organizó una reunión imaginaria entre dos iconos de la moda para la colección que bautizó como «Coco conoce a James Dean». Coco Chanel y el actor no se llegaron a conocer –la diseñadora se reincorporó a la moda (reabriendo su firma de costura) justo cuando James Dean murió–, pero ambos eran figuras rebeldes e inconformistas a su manera.

Presentada en una pasarela enmarcada por un ordenador gigante, la colección incluía referencias a *Rebelde sin causa* mezcladas con los clásicos códigos Chanel. El vaquero, con unos tejanos muy ajustados o cortados al estilo bermudas, se combinaba con el *tweed* blanquinegro de Chanel y unos sombreros de paja a juego (decorados con unas cintas de un negro reluciente), y unas botas suaves de caño corto o unas sandalias atadas con polainas de piel. Como complementos, las chaquetas de piel llevaban cadenas metálicas, y las faldas estaban estampadas con cruces barrocas, mientras que las bermudas o los bañadores de punto se combinaban con las singulares chaquetas de piel desgastada de forma artificial que vestía el actor.

CHANEL EN NUEVA YORK

Después de Tokio (*véanse* págs. 348-349),
Karl Lagerfeld trasladó la colección *métiers d'art*
de Chanel –que se organizaba cada año desde
2002 como homenaje a los virtuosos talleres
adquiridos por Chanel– a Nueva York para
celebrar la reapertura de la tienda insignia de
Chanel en la calle 57. Después de estar dos días
cerrada, la *boutique* se transformó en una gran
pasarela para la gala, con la cantante de folk
Devendra Banhart tocando en directo para
un público selecto.

Lagerfeld presentó una colección
mayoritariamente blanca y negra, con algún
que otro destello plateado, dorado y rosa claro,
y con un llamativo *look* de peinado y maquillaje:
labios rosa cereza y ondas Marcel de la década
de 1920 recogidas con diademas de satén
negro. Los complementos eran unos de los
protagonistas de la colección, con unos
relucientes bombines de la Maison Michel que
conferían a las modelos un aire andrógino, unos
intricados abalorios de la firma de bordados de
Lesage, y, por supuesto, generosas cantidades
de joyas, desde cinturones con joyas engastadas
y broches hasta collares de perlas y muchas
pulseras monocromas.

CHANEL GRANDIOSO

Descrita por la crítica de moda Sarah Mower como «puro Chanel, materializada en un grado de perfección del que solo había sido testigo la alta costura», la colección rendía homenaje a la virtuosidad de la alta costura y los clásicos de Chanel. Abrieron la colección unos recatados trajes de *tweed* monocromos con una marcada cintura y chaquetas entalladas (algunas eran cortas, tipo bolero) con mangas de tres cuartos; todas ellas lucidas con unas botas de piel planas bicolores (inspiradas en el diseño que la propia Coco Chanel solía llevar a finales de la década de 1950).

Por la noche, los vestidos tenían tintes de cuento de hada, adornados con bordados, lamé, lentejuelas, perlas, encaje fino o plumas de avestruz, todos blanquinegros y con unos suaves tonos de gris, rosa y azul. El último vestido de la colección era un vaporoso y delicadamente bordado vestido nupcial blanco en forma de trapecio que lució Lily Cole.

Como sorpresa final, ante la expectación de los invitados, la columna del centro de la pasarela se elevó bajo el alto techo de cristal del Grand Palais y dejó al descubierto una escalera de caracol de un blanco inmaculado en la que posaron todas las modelos.

GRAND CENTRAL STATION

Chanel regresó a Nueva York por segunda vez en seis meses tras presentar su anterior colección *métiers d'art* en su tienda insignia (*véanse* págs. 368-371); en esta ocasión, eligiendo una ubicación emblemática e inesperada: la Grand Central Terminal, con su constante ir y venir de pasajeros.

«Es, en cierto modo, la capital del mundo», declaró Lagerfeld, seducido por el dinamismo de la ciudad. «Debo decir que me gusta. Toda la gente con la que trabajo viene a Nueva York para ver cómo es: la energía en las calles que no tenemos en París». Y añadió: «El crucero va de viajar, así que el símbolo de la estación es una buena idea [...] y me encanta el espacio, siempre me ha encantado. Creo que es uno de los espacios más bonitos de Nueva York».

Desfilando por la pasarela al son de música de rock duro, las modelos lucían una colección femenina pero rompedora, con un toque de estrella del rock y rica en complementos, desde montones de brazaletes hasta cintas largas, pendientes *statement* y magníficas sandalias de gladiador de charol que llegaban hasta la rodilla.

TEJANO DE CONFECCIÓN

Presentada en una carpa circular en el Bois de
Boulogne, a las afueras de París, la colección que
la crítica de moda Sarah Mower describió como
«*mod* medieval» conjugaba faldas muy cortas
con versiones de confección de las botas altas
hasta la cintura que ocuparon un lugar destacado
en la anterior colección de *prêt-à-porter* de Chanel
(*véanse* págs. 376-379) con unos suntuosos
bordados que recordaban los manuscritos
ilustrados más espléndidos de la Edad Media.

Como es habitual en la alta costura, Lagerfeld
también usó el tejano, que convirtió en unos
largos guantes sin dedos y unas botas altas
hasta la cintura hechas con tela de unos tejanos
reales, porque el «auténtico lujo», como declaró
Lagerfeld, «tiene libertad para mezclar las cosas».

«Esta colección es un juego con las proporciones»,
continuó. «Es el movimiento lo que cuenta, una
silueta para la ciudad y para la vida moderna;
una actitud fuerte, una especie de agresividad
visual [...] Hombros estrechos, unas mangas más
voluminosas, una cabeza pequeña, un cuerpo
estilizado y unas piernas interminables: este es
el ideal de belleza de nuestra era».

BLANCO Y ORO

Presentada en un vestidor a gran escala situado en el corazón del Grand Palais, la colección empezó con un desfile de modelos envueltas en unos cortos abrigos de algodón blanco, iguales a los que las modelos de Chanel solían llevar en las pruebas en la *cabine* en los tiempos de Coco Chanel. Aquí eran un complemento ideal para una generosa cantidad de joyas de oro, desde broches en forma de camelias hasta puños (algunos grabados con citas de *mademoiselle* Chanel), cinturones con incrustaciones de joyas y collares de cadena y perlas.

Los complementos cobraron protagonismo, desde las omnipresentes joyas hasta gafas de sol al estilo de la década de 1960 y plataformas y tacones de cuña Lucite transparentes. La silueta era muy baja (incluida una serie de *hot pants* de cintura alta con lentejuelas negras), con una cintura marcada, a veces realzada con cinturones dorados o provistos de monogramas, mientras que los colores giraban en torno a una reducida gama de blanco, negro, gris, dorado y plateado.

La sensación de vacaciones que transmite la colección se hizo aún más evidente con una serie de sofisticados trajes de baño blancos (de punto con efecto *tweed*), todos conjuntados con joyas en abundancia; «son más bien bañadores para tomar un almuerzo alrededor de la piscina», admitió Karl Lagerfeld.

NIEVE EN PARÍS

Como telón de fondo de esta colección atmosférica, Chanel creó una romántica escena de invierno, que incluía una pista de patinaje sobre hielo, montículos de nieve y nubes gigantes que estaban suspendidas bajo la cúpula de vidrio del Grand Palais. «Estas nubes estaban hechas con 6000 metros de tarlatana, que luego se instalaron en una estructura metálica. Todo el conjunto pesa veinte toneladas», reveló Karl Lagerfeld. Y, como colofón, miles de trocitos de papel que simulaban copos de nieve se precipitaron sobre las modelos, lo que añadió un toque poético. «Es un guiño al calentamiento global, que está en boca de todos, y, además, simplemente me encanta cuando nieva en las ciudades», confesó Lagerfeld.

Rompiendo con los colores tradicionalmente apagados de la firma, Lagerfeld apareció con rojos vibrantes, un turquesa intenso, amarillos estridentes, lilas chillones y rosas ciruela y frambuesa. «*mademoiselle* Chanel trabajaba con el color beis, por supuesto, y el negro, pero a menudo usó también colores bastante brillantes; los rojos, por ejemplo. Sus *tweeds* eran muy coloridos. Y, aunque me encantan el blanco y el negro, el color estaba en el aire y descubrí que lo anhelaba realmente».

«LÍNEA CHANEL»

07:30 p. m., viernes 18 de mayo de 2007, hangar
número 8, aeropuerto de Santa Mónica, Los
Ángeles; estos eran los detalles del «vuelo» al
que Chanel invitó a sus huéspedes de Hollywood
(desde Demi Moore y Lindsay Lohan hasta
Diane Kruger, Dita von Teese y Milla Jovovich)
a embarcarse en esta nueva colección crucero.

Sentados en un hangar decorado como una
exclusiva sala de un aeropuerto, que contaba
con tres coctelerías, bolsas de viaje personalizadas
en cada asiento (con fotografías de la colección
de Karl Lagerfeld y un frasco de Chanel Nº 5,
que usaba la eterna diva de Hollywood Marilyn
Monroe), además de pantallas de llegada y salida
que enumeraban los vuelos de la «Línea Chanel»,
los huéspedes observaron cómo no uno sino
dos Challengers 601 con las CC impresas se
acercaban por la pasarela.

De los aviones salieron las modelos, y quien
bajó primero a la pista fue Raquel Zimmermann,
vestida con un mono azul marino con los puños
a rayas («un cruce entre el uniforme de un
capitán y un traje de viaje de un pasajero de
primera clase, con una especie de sentido
práctico de la *jet set*», como describió Nicole
Phelps). Al poco, la siguieron otras modelos que
lucían versiones reinterpretadas de los clichés de
la Costa Oeste, desde las bermudas y los gorros
deportivos hasta las largas batas negras con
lentejuelas.

«Los aeropuertos y el hecho de volar se han
convertido en una pesadilla», declaró Lagerfeld.
«L. A. va del sueño de los *jets* privados y coches
preciosos y glamur, y las colecciones crucero
van del sueño de libertad».

«NOCHES DE VERANO»

A través de un gigante lazo azul marino, el distintivo del sello, las modelos hicieron su aparición y, a continuación, desfilaron por una inmensa pasarela de un negro azulado. La colección, titulada «Noches de verano», presentó en primer lugar una serie de conjuntos vaqueros (incluso trajes de baño vaqueros). Un omnipresente dibujo de estrellas azul marino, mezclado, y naturalmente, con el monograma de Chanel, estaba estampado en los vestidos y los monos, conjuntados con chaquetas a rayas rojas y blancas para un «efecto de estrellas y rayas» total.

Los hombros marcados al estilo de la década de 1940, los vestidos «transformables» y los zapatos de plataforma eran una constante en toda la colección, y estos últimos se combinaban con una innovación de Chanel: el bolso tobillera. Unas versiones diminutas o de *tweed* del emblemático bolso 2.55 se ataban al tobillo, directamente a la pierna o sobre los pantalones («como unas pinzas que sujetan las perneras», bromeó Lagerfeld), mientras sonaba «Be My Baby», de las Ronettes.

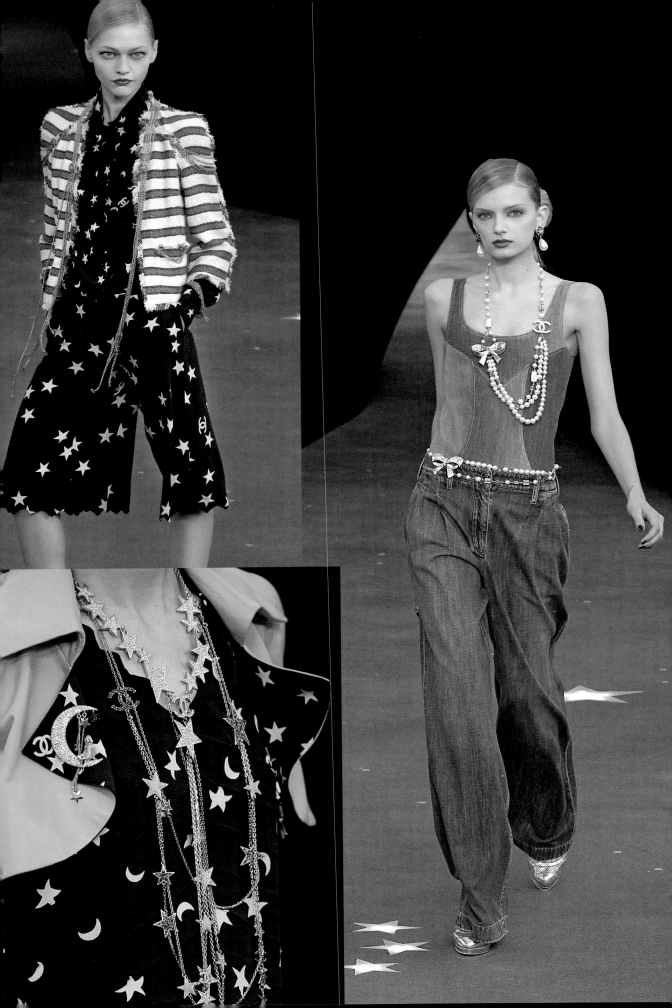

LA LLAMADA DE LONDRES

«Para Chanel, es un sueño ir a Londres, pero no vengo muy a menudo porque solo voy a ciudades donde trabajo», le explicó Lagerfeld a Suzy Menkes, al mencionar los lazos de Coco Chanel con el estilo inglés, creados durante su relación con Arthur Capel, al que llamaban *Boy*, el empresario y jugador de polo británico que fue su gran amor y que sufragó su primera tienda, así como con el extraordinariamente acaudalado duque de Westminster, con quien viajó por Inglaterra y Escocia, la cuna del *tweed*.

Celebrada en Phillips de Pury, en Victoria, la gala contó con música en directo, gentileza de la modelo reconvertida en cantante Irina Lazareanu y Sean Lennon (hijo de John Lennon y Yoko Ono) al piano. Entre otros guiños al legado musical de Londres, cabe citar broches inspirados en el estilo punk e imperdibles, así como un *look* de belleza a lo Amy-Winehouse-conoce-a-Brigitte-Bardot que incluía peinados colmena y delineador de ojos en abundancia.

Manteniendo el negro como firma de Chanel, en la colección predominaban las prendas largas y oscuras, combinadas con zapatos planos, grandes cruces góticas y guantes de encaje para un ligero toque de «Camden Town».

UN MONUMENTO A LA MODA

Una gigante chaqueta Chanel de hormigón giratoria, que incluso contaba con bolsillos, trenzados y botones con el monograma de Chanel, también de cemento, se elevaba imponente sobre los invitados al Grand Palais, formando el telón de fondo de la colección de costura: un homenaje a la influyente creación de Coco Chanel y a la enorme importancia que Chanel ha adquirido tanto en la historia de la moda como en la moda contemporánea.

«La gente cree que Chanel solo hacía chaquetas, pero al principio había todo tipo de formas», manifestó Lagerfeld a Suzy Menkes, respecto a las fotografías de Coco Chanel de la década de 1930 en las que aparecía luciendo un pantalón de satén drapeado y unos volantes de encaje.

Las modelos, que salían de debajo de la chaqueta colosal (que *Vogue* comparó con «una enorme roca marina»), luciendo unos vestidos cortos y refinadas zapatillas de *ballet*, encarnaban una colección inspirada en el lecho oceánico y las formas en espiral y los delicados colores de las conchas: «Coquille Chanel» («Concha Chanel»), bromeó Lagerfeld.

Las faldas y los vestidos se presentaban drapeados, enrollados o plisados para evocar los relieves de una concha, mientras que los sofisticados cierres a modo de concha abrochaban chaquetas *bouclé* de colores suaves, y las distinguidas telas recordaban los remolinos líquidos y la transparencia del agua.

UN TIOVIVO CHANEL

Para esta nueva colección, un gran tiovivo Chanel se convirtió en el protagonista indiscutible del Grand Palais, y en él no había caballos, sino figuras a gran escala de los iconos del estilo Chanel: lazos, bolsos acolchados, el canotier de la propia firma de Coco Chanel, ristras de perlas, la chaqueta Chanel y mucho más. «La base de Chanel es aún muy francesa, teníamos todos los símbolos típicos de Chanel: la camelia, los botones, las perlas, el bolso, todo», explicó Lagerfeld, «pero en la gala no había prácticamente nada, tan solo un pequeño bolso, porque la moda debe cambiar». Como escribió la crítica de moda Sarah Mower, «era una metáfora apropiada para el giro intemporal de los clásicos, y para la máquina imparable en que la moda se ha convertido estos días».

Los célebres *tweeds* de Chanel (que están hechos totalmente a mano) hicieron su aparición en la colección, pero en unas chaquetas que estaban expresamente desgastadas por los codos, con el tejido de la tela y el trenzado deshilachados. «Cuando compras prendas muy caras, no deberías tratarlas como si hubieran costado mucho. Deberías poder destrozarlas como si fueran unos tejanos baratos», declaró Lagerfeld a la agencia France-Presse. «Me encantaba tratarlos [los *tweeds* de Chanel] como si no fueran ropa cara».

EL NÚMERO 31 DE LA CALLE CAMBON

La sede de Chanel se trasladó al Grand Palais para esta nueva colección, donde se reconstruyó fielmente la fachada de la tienda situada en el número 31 de la calle Cambon. Se introdujo solo un cambio: la calle ya no era paralela a la firma, sino que conducía a ella. «Es como si estuvieras en Hollywood», observó Karl Lagerfeld. La monumental decoración hacía las veces de plató cinematográfico, y el desfile se desarrolló casi como un cortometraje en el que las modelos interpretaban el papel de distinguidas clientas parisinas.

Mademoiselle Chanel instaló su firma en el 31 de la calle Cambon en 1918, y el edificio sigue siendo su apartamento privado, los salones de alta costura que usaba para los desfiles y dos talleres de alta costura (en el ático del edificio).

Con la melodía de «Our House», de Madness, la colección rindió homenaje al estilo clásico de Chanel con una gama de negros, blancos, rosas y grises, mientras que el emblemático diseño «bicolor» pasó de los zapatos a las medias (mates por encima de la rodilla y transparentes por debajo) y la bolsa de la tienda de Chanel salió en una versión de piel de lujo.

DE LOS ZARES A LOS MUJIKS

La colección de *métiers d'art* se dedicó a la
capital de un país y una cultura que fascinaba
a Coco Chanel, desde su implicación en los
Ballets Rusos de Diaghilev y su relación con
Ígor Stravinski y el gran duque Dmitri Pávlovich
(primo del zar Nicolás II) hasta sus primeras
colaboraciones con los talleres de bordado
creados por los emigrantes rusos en la década
de 1920 en París (tales como Kitmir, fundado
por la hermana de Dmitri, la gran duquesa María
Pavlovna), sus joyas de estilo bizantino y, por
supuesto, las creaciones de Chanel Nº 5 y de Cuir
de Russie («Piel de Rusia») con Ernest Beaux,
antiguo perfumista de la corte del zar ruso.

Celebrada en el teatro Le Ranelagh de París,
la colección estuvo precedida por la proyección
del primer cortometraje de Karl Lagerfeld,
Coco 1913 – Chanel 1923, que trataba del idilio
entre Coco y Dmitri, y mezclaba influencias tan
diversas como el esplendor de la Rusia imperial, la
vanguardia artística rusa de principios del siglo XX
(en concreto, la obra de Liubov Popova, cuyo
cuadro *Arquitectura pictórica 1918-1919* tuvo una
influencia directa en los bordados geométricos
creados por Lesage para los vestidos de noche
del desfile), la estética del constructivismo y el
folclore eslavo (unas fastuosas versiones de los
tradicionales tocados *kokoshnik* son algunos de
los ejemplos más brillantes).

LA COLECCIÓN BLANCA

Bajo el techo de vidrio del pabellón Cambon-Capucines, Chanel presentó un imponente decorado totalmente blanco, como un libro *pop-up* gigante de papel blanco, compuesto de arreglos florales de papel monocromáticos, a base de rosas, margaritas, hojas y pétalos que se enroscaban por las treinta y dos columnas de la sala y cubrían los pasamanos de la escalinata de entrada, donde las modelos hicieron su aparición (en total, había hasta 7000 flores de papel hechas a mano).

Imponiendo lo que denominó «una nueva modestia», Karl Lagerfeld empleó libros *pop-up* como fuente de inspiración, incorporando la gracia y la delicadeza de estas obras en tres dimensiones en los vestidos, los trajes e, incluso, los peinados de las modelos, que lucían unos tocados de papel compuestos de camelias, anémonas, hojas, plumas, ramas y otras formas orgánicas; todas ellas creadas por el artista japonés Katsuya Kamo, que se inspiró en el tema floral de la colección, así como en minuciosas figuras de porcelana blanca del siglo XVIII.

Llevar la delicadeza de un trozo de papel fino a las tradicionales telas como el *tweed*, el tafetán, la organza y el satén de seda fue el reto que Lagerfeld se propuso para esta colección. «El papel es mi material preferido a todos los que existen. Es el punto de partida de un dibujo, y la conclusión de la fotografía. Hay algo respecto al contacto físico con el papel que simplemente no sé explicar. Es un material muy básico, pero Lesage lo ha transformado en el más precioso de todos».

BELLE BRUMMELL

Retomando su anterior colección de un blanco
inmaculado (*véanse* págs. 438-441), Karl
Lagerfeld rindió homenaje al negro, a negros
de todo tipo, en una colección presentada sobre
un suelo de ónix lacado y una sucesión de ocho
espacios con unas paredes blancas sin decoración.

«La colección se titula "Chanel Belle Brummell"
[en referencia al dandi inglés Beau Brummell],
quien inventó el *look* oscuro de las prendas
masculinas, haciendo hincapié en las corbatas,
los pañuelos, los cuellos y los puños», explicó
Lagerfeld. Por tanto, había cuellos con volantes
y puños de tul, muselina y tafetán blanco, que
adornaban el cuello y las muñecas de elegantes
vestidos negros e impecables trajes negros.

Este mar de negro estaba salpicado de destellos
rosa claro y verde jade, y contrastaba con el
blanco delicado de los cuellos y puños de quita
y pon, que Lagerfeld incorporó para conseguir
un guardarropa con doble finalidad. «Mi trabajo
es que Chanel avance de acuerdo con su tiempo.
La idea de transformar un vestido es moderna.
Un vestido... dos *looks*», comentó.

La icónica chaqueta se diseñó en tres largos
distintos, y estaba ribeteada por unos galones
turcos, hecha con *tweed* «de papel», o bien se
llevaba con un estilizado pantalón de hombre;
debajo de los sombreros creados por la Maison
Michel, los vestidos-abrigo, los trajes y los
vestidos de noche eran de una tela elástica
con estampados en relieve, guipur tipo malla,
bordado caviar con abalorios de color negro
azabache, lana al estilo cabujón, piel satinada,
jersey de seda o crepé.

«COCO EN EL LIDO»

«Coco en el Lido» es como Karl Lagerfeld
describió esta colección crucero en el paseo
marítimo del Lido de Venecia al anochecer,
su homenaje a la ciudad que era uno de los
destinos de vacaciones preferidos de Coco
Chanel, y que ella visitó a menudo durante
casi diez años desde 1920 después de conocer
a Sergei Diaghilev en La Serenísima.

Inspirada en el «café society» de la década
de 1930, en *Muerte en Venecia*, de Luchino
Visconti (el director italiano también era
amigo de Coco Chanel, quien le ayudó a
lanzar su carrera cinematográfica), en los
intensos rojos renacentistas y los grabados
de Fortuny, la colección se presentó con
un desfile que empezó con unos tricornios
y abrigos que recordaban a Casanova y
la época dorada del carnaval de Venecia,
a los que siguieron las rayas inspiradas
en los gondoleros, ropa de playa divertida,
suntuosas joyas y prendas de noche hasta
el suelo extremadamente elegantes.

El factor común de la colección era un
look de peinado y maquillaje inspirado
en la marquesa Luisa Casati, la aristócrata-
mecenas italiana de ojos verdes y el pelo
teñido de rojo a quien, como era bien
sabido, le gustaban los bailes de máscaras
y la excentricidad (lucía serpientes vivas
como joyas y paseaba guepardos a modo de
mascotas, que llevaba sujetos con correas
de diamantes). Es considerada un icono del
estilo de las décadas de 1910 y 1920.

CHANEL Nº 5

En un decorado blanco dividido en cuadrados por líneas negras, cuatro frascos gigantes de perfume Chanel Nº 5 (por donde entraban las modelos) se elevaban hacia el alto techo de cristal del Grand Palais. «¿Qué podría ser más mítico que una chaqueta Chanel y el Nº 5?», preguntó Karl Lagerfeld, que juntó los dos iconos para la colección de alta costura.

Empezando con una serie de cuidados trajes de color azul marino, rojo y plata, la colección jugaba con el largo y la proporción, combinando siluetas puras que evocaban «efectos gráficos sueltos y líneas asimétricas» con rostros cubiertos con velos de tul bordados con tachones y cristales. «Es un velo coqueto que crea misterio [...] Puede ser bastante agradable ver y que no te vean», argumentó Lagerfeld.

El pelo ahuecado (de vez en cuando, oculto bajo casquetes de redecilla muy fina con incrustaciones de plata y perlas) era una constante en la colección, que exhibía unos fastuosos bordados y preciosas telas, desde vestidos de muselina y delicados drapeados hasta encajes bordados plegados y con volantes que recordaban el vestido tradicional de la corte de Versalles.

UNA GRANJA EN PARÍS

«Pasé mi infancia en el campo. Se habla mucho del campo estos días. Creí que sería interesante darle un enfoque distinto con la moda», anunció Karl Lagerfeld, que presentó esta bucólica colección en una gigante granja Chanel instalada en el Grand Palais, y compuesta por un granero de 9 metros de alto, almiares y guirnaldas de flores; en él, Lily Allen ofreció un miniconcierto al final de la gala.

Tomando obras de Fragonard y el Hamlet de María Antonieta, en Versalles, como fuente de inspiración para este decorado idílico, Lagerfeld creó una colección fresca, de colores tenues, con una gama formada por blancos naturales, cremas y beis, aunque también rosa, coral y naranja claro, además de alegres estampados de amapolas y acianos rojos, azules y blancos que eran un guiño a algunas de las creaciones de la propia Coco Chanel de finales de la década de 1930.

Asimismo, el tema rural se evidenciaba mediante el uso del trigo como motivo (era uno de los símbolos de la suerte más apreciados por Coco Chanel y un elemento recurrente en su apartamento) y en los complementos, entre los que se incluían zuecos de piel y pequeños cestos hechos con mimbre y arpillera.

EL PARÍS DEL ESTE

Presentada en una barcaza de 85 metros de eslora en el río Huangpu, la colección de *métiers d'art* «París-Shanghái» poseía un telón de fondo único: una vista panorámica de los rascacielos de Pudong por la noche. «No podemos reconstruirlo, por lo que hemos creado una embarcación con un decorado donde es posible ver Shanghái. Es una caja negra de cristal con una vista de Shanghái», explicó Karl Lagerfeld.

Con un importante centro portuario, Shanghái era muy conocida en el siglo XIX y principios del XX por su ambiente sofisticado y cosmopolita, y se ganó el apodo de «el París del este». Era una ubicación apropiada, por tanto, para una colección que exhibía la virtuosidad de los artesanos parisinos de Chanel y aludía a «la antigua China, muy sobria, muy moderna, y también al período de los "tres emperadores", a finales del siglo XVII», según Lagerfeld, quien rodó un cortometraje titulado *París-Shanghái, una fantasía* para la ocasión.

Además de evocar la opulencia de las cortes imperiales, ofrecía guiños al cine de Hollywood de la década de 1930 y al «romanticismo urbano del cine chino», así como referencias reinterpretadas a la historia sartorial de China, desde los *cheongsams* y los rojos lacados hasta los trajes Mao y las gorras comunistas.

Aunque Coco Chanel nunca visitó China, el arte chino estaba muy presente en sus casas, que decoraba con sus apreciados biombos de Coromandel. «Me encanta la *chinoiserie* francesa del siglo XVIII porque es una idea de China que pintan personas que nunca han visto China. Y es divertido porque existe una imaginación real, enérgica y luminosa», señaló Lagerfeld.

NEÓN BARROCO

«Pastel y plata... Es como una visión fugaz que
tuve una mañana, que luego hice realidad en
la decoración y la colección», explicó Lagerfeld,
que mostró una colección de prendas delicadas
con tonos de *macaroon*, presentada en el
pabellón Cambon Capucines, de color pastel e
iluminado con neones, situado en el número 46
de la calle Cambon, donde el público estaba
acomodado en unos sofás plateados. «Es la
primera vez en toda mi trayectoria profesional
que he creado una colección sin negro ni azul
marino. No hay ni un solo botón dorado»,
añadió.

Los vestidos de encaje, satén, tul y chifón estaban
adornados con perlas, cristales o brillantes
lentejuelas plateadas, mientras que 1300 flores
plisadas, reticuladas y arrugadas se convirtieron
en guirlandas de tul y en chifón claro y rosa
melocotón, y, una vez unidas una por una,
formaron conjuntos y capas en forma de globo.

Al final de la gala, la novia desfiló por la pasarela
envuelta en volantes de chifón, satén y tul de
unos tonos de rosa cada vez más intensos, con
el corpiño y las mangas bordados enteramente
con cenefas foliadas y espirales plateadas.

FRESCOR *OFF-DUTY*

Para esta colección crucero, Chanel viajó a la localidad por excelencia de la Riviera: el pequeño pueblo de Saint-Tropez, al sur de Francia. Los invitados, sentados en las sillas rojas de madera del famoso café Sénéquier de Saint-Tropez, observaron cómo las modelos de Karl Lagerfeld llegaban al icónico puerto a bordo de una lancha motora y desfilaban por la calle convertida en pasarela.

Si bien la propia Coco Chanel visitó Saint-Tropez tan solo unas pocas veces («Colette la vio allí en 1934», señaló Lagerfeld), es un lugar que enternece al diseñador. «Pasé allí muchos años de mi vida», dijo. «Conozco Saint-Tropez como conozco París».

Descrita por Lagerfeld como «muy informal y práctica», la colección tuvo un final estruendoso: Georgia May Jagger se precipitó por la calle montada como acompañante en una Harley, vestida con un minivestido bordado con abalorios y calzada con unas botas hasta el muslo, mientras sonaba la canción de su padre «Let's Spend the Night Together».

PERLAS Y LEONES

En honor al signo astrológico de Coco Chanel, un enorme león dorado llenó los salones del Grand Palais para esta fastuosa colección de alta costura, cuya garra descansaba sobre una perla gigante por donde entraban las modelos.

Detectando influencias rusas en los centelleantes adornos, los ribetes de piel y los brocados de piel, *Vogue* afirmó sobre los vestidos profusamente bordados y con lentejuelas que «contenían todos los detalles de un huevo Fabergé». Un vestido contenía un millón de lentejuelas bordadas a mano e iba conjuntado con unas botas tobilleras, confeccionadas por Massaro. Los diseños florales eran obra de Karl Lagerfeld (inspirados en la porcelana alemana del siglo XVIII) y los bordados de lentejuelas de inspiración regia aparecían en chaquetas cortas de manga corta.

Sin embargo, «se acabaron los vestidos largos», insistió Lagerfeld. «Era el momento de hacer un poco de limpieza. Estoy cansado de los vestidos de alfombra roja con enormes colas. Estos vestidos son para moverse y vivir, como los de las décadas de 1920 y 1930». No obstante, respecto a la época de Coco Chanel, «la nueva *flapper* es mucho más consciente de su cuerpo», prosiguió Lagerfeld. «Las *flappers* de la década de 1920 no tenían cintura. Esta forma es muy femenina y la cintura parece incluso más pequeña porque hay volumen en las mangas».

EL AÑO PASADO EN MARIENBAD

Ocupando todo el Grand Palais, Chanel creó un monumental jardín francés monocromático, con gravilla blanca y «setos» esculpidos en piedra negra para obtener un efecto mineral, que contaba con fuentes y una orquesta de ochenta miembros (la Lamoureux Orchestra, dirigida por Thomas Roussel).

El ambiente cinematográfico no era fortuito, y Lagerfeld citó a «Delphine Seyrig en *El año pasado en Marienbad*» como la principal fuente de inspiración para la colección. En la desconcertante película en blanco y negro dirigida por Alain Resnais en 1961, aparece un similar jardín geométrico francés en una de sus escenas más famosas, y la propia Coco Chanel diseñó el vestuario para la actriz principal, Delphine Seyrig. «La película tiene lugar en un complejo hotelero ficticio», explicó Lagerfeld. «Se rodó en el palacio de Amalienburg, cerca de Múnich, pero la fuente de inspiración [para Amalienburg] fue París, fue Versalles. Es totalmente francesa».

Los primeros modelos exhibieron un *tweed dévoré*, con hábiles roturas, que traía a la mente la estética del movimiento punk. Existen materiales muy innovadores para los tejidos: *tweed* perforado con láseres, pero enlazado mediante galones, «porque, si no, se habría deshecho», comentó Lagerfeld. «Se lleva por encima de vestidos camiseros o camisetas blancas».

La colección se mantuvo fiel a la gama de blanco y negro de la película, con una abundancia de gasa en negro o adornada con motivos delicados, rejillas de tul fino y una profusión de plumas de la firma de Lemarié; «tiene que parecer Chanel sin ser repetitivo», concluyó Lagerfeld.

ESPLENDOR BIZANTINO

En homenaje a la antigua capital imperial,
la colección «París-Bizancio» combinaba las
tradiciones de la confección francesa con
la magia otomana. Actualmente capital de
Turquía, Estambul fue la antigua Bizancio
y adoptó el nombre de Constantinopla en el
año 330. En su época de máximo apogeo,
en el siglo VI, el floreciente imperio dio lugar
a una radiante y distinguida civilización que
pervivió hasta la caída de Constantinopla, en
el año 1453, y fue célebre especialmente por
sus espléndidas basílicas revestidas de mosaicos.

Uno de los pocos ejemplos que se conservan
de este arte es la iglesia de San Vitale en Rávena,
que fue construida entre los años 527 y 548,
durante el reinado del emperador Justiniano
y su esposa, Teodora (y que sirvió de prototipo
para la iglesia Santa Sofía de Estambul). El
monumento, declarado patrimonio mundial
por la UNESCO, es un tesoro oculto de
deslumbrantes mosaicos de vidrio y esmalte, e
inspiró a Karl Lagerfeld para crear esta colección.
«Viajé hasta Rávena, y acabo de publicar un
libro de fotografías sobre sus vestigios titulado
Byzantine Fragments. Los mosaicos son
sublimes».

Acomodados en unos sofás bajos afelpados
con cojines pintados a mano en los salones
de Chanel de la calle Cambon de París (cuyas
paredes se revistieron con resplendentes
lentejuelas de bronce para la ocasión), los
invitados presenciaron un desfile de fastuosos
e intricados conjuntos, que evocaban la joyería
inspirada en Bizantino de la propia marca de
Coco Chanel.

«Todos los botones son cuadrados, como
las joyas bizantinas, y no hay nada que brille
propiamente. Todo posee ese efecto reluciente
típico de los mosaicos, que es debido al hecho
de que, en Rávena, los mosaicos están hechos de
lapislázuli. Son trozos de vidrio con pan de oro
debajo. Es increíble», explicó Lagerfeld. «Es una
extrapolación de una idea de algo que jamás
hemos experimentado», continuó. «El lujo de
Bizancio ahora ha desaparecido, se destruyó
con el tiempo».

ANDROGINIA APOCALÍPTICA

Envueltas en una neblina poética otoñal
con un telón de fondo pintado para evocar
un bosque misterioso imaginario, en esta
gala austera las modelos salieron rodeadas
de una niebla luminosa de dos cubos blancos
con el monograma de Chanel y desfilaron
por una senda de madera. «Quería recrear
en el Grand Palais el ambiente de un jardín
neblinoso, como el de los jardines franceses
de la temporada anterior», explicó Karl
Lagerfeld (*véanse* págs. 484-487).

La androginia era el tema central de la
colección, con la legendaria chaqueta
Chanel convertida en un híbrido, encogida
y puesta encima de un esmoquin masculino
o un chaquetón. Los pantalones masculinos
se llevaban arremangados por encima del
tobillo y a juego con unas pesadas botas
combinadas con unos calcetines holgados,
casi como unas polainas, o contrastados con
unos estrechos zapatos planos de punta en
crepé de China con un tacón elegante.

Al son de la música del clásico gótico
«A Forest», de The Cure, la colección se
exhibió en un paisaje postapocalíptico,
con las modelos andando entre columnas
humeantes de lava negra. «Es un bosque
nórdico abrasado», comentó Lagerfeld.
«La fuente de inspiración es el invierno.
Me recordaba los inviernos que pasaba de
niño en el norte de Europa, y allí los bosques
tenían este aspecto durante meses. Siempre
he creído que es muy poético».

También contiene la influencia de «Anselm
Kiefer; está Caspar von Friedrich, el pintor
romántico alemán, la película *Los nibelungos*,
de Fritz Lang, donde hay una escena en la
que [el héroe] cruza montado a caballo un
bosque como este, hay arquitectura japonesa,
paisajes volcánicos, pero, cuando se me
ocurrió la idea, no pensé en analizar los
detalles. Tuve una visión como esta en un
sueño, me vino del subconsciente», explicó
Lagerfeld.

EL GLAMUR DE HOLLYWOOD EN LA RIVIERA

«Este es uno de los lugares más hermosos del mundo, ¿verdad?», preguntó Karl Lagerfeld, sentado en una terraza con vistas al mar Mediterráneo del Hotel du Cap-Eden-Roc, en el cabo de Antibes, cerca de Cannes (un lugar de encuentro de los ricos y famosos desde la década de 1920 y uno de los hoteles más exclusivos del mundo hoy en día), que era el marco para esta colección crucero.

Con el propósito de presentar otra versión del chic de la Riviera después de Saint-Tropez (*véanse* págs. 474-477), el estilo de «este otro lado del paraíso», que se extiende desde Cannes hasta Mónaco, contrasta con las vibraciones más bohemias de Saint-Tropez, y está definido por «una cierta disciplina sartorial y un glamur heredado de la década de 1950, cuyo esplendor es más natural, interno, a miles de kilómetros de las modas actuales que se han perdido en la alfombra roja», declaró Lagerfeld. El diseñador menciona a la actriz Rita Hayworth y a su esposo, el príncipe Ali Khan, que habían sido asiduos del Hotel du Cap, como fuente de inspiración para el glamur de Hollywood de la vieja escuela.

Las icónicas creaciones de perlas y diamantes de Chanel tienen un papel protagonista, con unas fabulosas piezas de alta joyería y diamantes «cometa» bordados en vestidos de noche de seda de color azul marino (una referencia a Coco Chanel, a quien le encantaba mezclar piezas preciosas con joyas de confección), mientras que una serie de trajes de baño con incrustaciones de diamantes de imitación y escotados en la zona del muslo evocaban la película de vanguardia de cine arte sobre la gimnasia *Biceps et Bijoux*, también rodada en el sur de Francia.

«LOS AIRES DE CHANEL»

Bautizada con el título «Los aires de Chanel»
(un guiño al libro de Paul Morand dedicado
al fundador de la firma, *El aire de Chanel*),
la colección de alta costura se presentó por la
noche, en una reproducción de la famosa plaza
Vendôme, uno de los máximos exponentes del
lujo parisino, construida en el interior del Grand
Palais, con las fachadas bañadas en luces de neón
blancas y la estatua de Napoleón en la cúspide
del obelisco en el centro de la plaza sustituida
por una estatua plateada de la propia Coco
Chanel.

«Chanel y la plaza Vendôme están muy unidas»,
explicó Lagerfeld. «Coco Chanel se alojó en el
Ritz [desde la década de 1930 hasta su muerte,
acaecida en 1971], y ahora hay una tienda de
joyas de Chanel en el número 18». «Me gusta
la arquitectura», continuó Lagerfeld, «pero esta
está más inspirada en GPS, un GPS de neón de
la plaza Vendôme».

Mezclando largos vestidos románticos que
recordaban las creaciones de Chanel de la década
de 1930, como un vestido de novia de satén de
un blanco reluciente con una cola de tres metros
y canotiers de la Maison Michel adornados con
plumas, tul o cinta (el canotier era uno de los
sombreros preferidos de Coco Chanel, quien
lo tomó prestado del guardarropa de los remeros
y los aficionados al ciclismo a principios del
siglo xx y enseguida se lo hizo suyo), la colección
ilustraba la naturaleza multifacética del «aire» de
Chanel. «Es más andrógino, como la silueta
de un chico joven. Me encanta la idea de dos
actitudes de mujeres. Y Chanel era muy así: creó
vestidos muy románticos, pero también poseía
ese aspecto que inventó, adoptado de la ropa de
los hombres austríacos [*véase* pág. 592] y el *tweed*
y la sastrería para hombres», observó Lagerfeld.

DEBAJO DEL AGUA

Con el mar como fuente de inspiración, la colección se presentó como un mundo submarino de ensueño con música en directo, gentileza de Florence Welch, de Florence and the Machine, una de las cantantes más apreciadas por Lagerfeld.

«Creo que no existe nada más moderno que las formas del fondo del mar, que tienen miles de millones de años», declaró Lagerfeld, «y es también un mundo no contaminado, un mundo inexplorado que, a 7000 metros de profundidad, es el mismo en todo el mundo». «Fíjate en las formas del mar, en los peces, los pájaros: son muy modernas», añadió. «Son casi como un diseño de Zaha Hadid».

Jugando con el volumen y mostrando muy pocos de los tradicionales elementos de Chanel, aparte de las perlas (nada de trenzados, ni logos, ni los típicos botones), la colección casi por completo blanca introdujo varias innovaciones textiles. «Todo se centra en la tela», afirmó Lagerfeld. «Apenas hay material nuevo, en su mayoría se trata de una mezcla de papel, celofán, silicona y fibra de vidrio, y es totalmente ingrávida».

UN SUEÑO DE INDIA

«India para mí es una idea», dijo Lagerfeld, que no ha estado nunca en el país. «No sé nada sobre la realidad, por lo que tengo una visión poética de algo que es tal vez menos poético en la realidad [...] Esto es una versión parisina de una India que no existe –es más Chanel que India–, y a Coco Chanel le entusiasmaban las joyas indias».

En una pasarela transformada en un exquisito banquete con mesas repletas de comida, flores y velas, las modelos desfilaron con suntuosos tocados de joyas, bolsos, guantes y botas con dibujos pintados con jena, perlas en cascada, motivos florales mogoles pintados a mano, brocados de seda, lamé dorado y plateado, satén duquesa, y fastuosas adaptaciones de los tradicionales pantalones *salwar*, túnicas *kameez*, pañuelos *dupatta*, saris, faldas y pantalones harén, y, por supuesto, el clásico cuello Nehru.

154 TONOS DE AZUL

«El azul es el color del aire, del día y de la noche. Nunca antes lo había utilizado tanto», anunció Lagerfeld.

Presentada en un avión de Chanel a escala real en los salones del Grand Palais, que contaba incluso con la alfombra con el monograma de la firma, la colección estaba compuesta por hasta 154 tonos de azul, «desde el azul perla más claro hasta el negro azulado más intenso. Esta inmensa gama de colores se extiende desde el carmesí hasta toques de verde», dijo Lagerfeld.

Todos estos tonos relucían en un bordado extraordinariamente elaborado que incorporaba lentejuelas, cristales, cabujones, plumas y diamantes de imitación, combinados con botones de mosaico de vidrio virtuosamente confeccionados por la Maison Desrues.

«Es el color que favorece más», concluyó Lagerfeld, «y estoy cansado de la alfombra roja. Así que, ¿por qué no una alfombra azul?».

CRISTALES

«La naturaleza es la gran diseñadora», afirmó Lagerfeld, señalando el bosque de gigantes amatistas, cristales de roca transparentes y cuarzo sin pulir. «Estas formas tienen millones de años de antigüedad». Las influencias clave para la colección, explicó, son «una mezcla de minerales, cristales, cristales de roca y cubismo checo, pero todo adaptado a una mujer moderna, con distintas propuestas que podría llevar».

«Para mí, el nuevo *look* de Chanel no es el clásico traje, sino el nuevo tres piezas: un minivestido, una chaqueta del mismo material y un pantalón del mismo material, y puedes jugar con esto», continuó Lagerfeld. «No hay ni un solo traje con trenzas. ¡Tal vez vuelvan!».

Los bordados tuvieron un papel protagonista, tanto en las mangas enjoyadas como en las cejas de las modelos, adornadas por la Maison Lesage, así como las plumas. «Todo el mundo usa la piel», manifestó Lagerfeld, «así que ¿por qué no también plumas? Las plumas asimilan esos tonos de bronce, gris y amatista mejor que cualquier otro material; todos estos colores tiñen maravillosamente las plumas, si es que no están ya presentes de forma natural. No resulta pesado, ni voluminoso, y favorece mucho».

«COCO ROCK»

Karl Lagerfeld eligió el bosquete de las tres
fuentes, situado en los famosos jardines del castillo
de Versalles y diseñado por André Le Nôtre para
el rey Luis XIV, para presentar una colección
que describió como «Coco rock, una versión
francesa del rock'n'roll, con la frivolidad del
siglo XVIII actualizada mediante nuevos materiales,
nuevas proporciones. Es un juego con elementos
culturales en otro mundo».

Se recuperaron los elementos del siglo XVIII,
tales como pasteles, vestidos *pannier*, pañuelos
fichus, *mouches* (pequeños trozos de tafetán
que se pegaban en la piel) y bombachos, que
se confeccionaron con unas telas insólitas –desde
vaquero hasta plásticos– y se combinaron con
pelucas de colores eléctricos al estilo *bob* (el pelo
muy corto por detrás y recogido con cintas en
unas largas colas) y zapatillas deportivas con
plataforma para lograr un aire juvenil de chica.

«Quería algo dinámico y frívolo», señaló Lagerfeld.
«La frivolidad es una actitud sana. Conozco gente
a la que la ha salvado la frivolidad».

EL «NUEVO *VINTAGE*»

Bautizada como «Nuevo *vintage*», la colección
reelaboró los clásicos de Chanel de tal forma
que exhibía la virtuosidad extraordinaria de los
talleres de la firma. «El "nuevo *vintage*" es una
propuesta para algo que podría perdurar; por
lo menos, eso espero», declaró Lagerfeld a la
agencia France-Presse. «Es la misma actitud
[Chanel], el mismo espíritu, el mismo nombre,
el mismo concepto, pero algo para nuestra época».

«La alta costura debe ser algo que nadie más
pueda hacer», añadió Lagerfeld. «Los *tweeds* no
son *tweeds* en absoluto, por ejemplo, están todos
bordados. Para algunos, se han necesitado unas
3000 horas de trabajo». Las ligeras y vaporosas
composiciones creadas por el *plumassier* (artesano
de la pluma) Lemarié también tuvieron un papel
protagonista, y culminaron en el vestido nupcial
con falda de plumas y cuello alto también de
plumas.

El nexo de toda la colección era la sutil gama
de gris, color hueso, negro y todos los tonos de
rosa claro, inspirada en los colores de la pintora
Marie Laurencin (*véanse* págs. 494-497), y la
incorporación de centelleantes medias plateadas,
de las que se hicieron eco los hilos plateados
entretejidos en los *tweeds* de toda la colección.

ENERGÍA PURA

Con unos aerogeneradores gigantes y un panel solar a modo de pasarela instalados en el Grand Palais, las nuevas fuentes de energía fueron un tema estrella de la colección. «La idea era el viento, la ligereza», explicó Lagerfeld, «muy puro, limpio, ligero, fresco. Todo gira alrededor del volumen, pero del volumen etéreo».

«Las proporciones son nuevas, los materiales son nuevos», prosiguió. «Quería una colección que pudieras identificar con Chanel al instante, pero sin trenzados, sin lazos, sin cadenas, sin camelias, sin el clásico Chanel. Conservé un elemento: las perlas, pero las sobredimensioné y las exhibí sobremanera».

También se presentó una nueva bolsa circular de gran tamaño. «Es para la playa», afirmó Lagerfeld. «Necesitas espacio para la toalla de playa. ¡Y luego la puedes dejar en la arena y colgar cosas en ella! Pero eso es lo único que contenía el logo de Chanel. No había logo; solo micrologos en algunas perlas y ni siquiera muy a menudo». «Me gusta la idea de no usar prácticamente nada que se identifica con Chanel y, aun así, mantener el *look* de la marca», reflexionó. «Fue un reto conmigo mismo».

ROMANTICISMO ESCOCÉS

Presentada en el palacio de Linlithgow, a las afueras de Edimburgo, la antigua propiedad de la familia Estuardo donde nació la reina María de Escocia, la colección rindió homenaje a los enraizados vínculos entre Chanel y Escocia.

Coco Chanel estuvo allí de vacaciones en varias ocasiones con el duque de Westminster en la década de 1920 (incluso redecoró la mansión de los Highlands del duque, Rosehall, en Sutherland), e hizo del *tweed* escocés un perfecto distintivo del estilo Chanel, una tradición que la firma tiene interés en conservar hoy en día, tras haber recuperado recientemente al fabricante tradicional escocés de cachemira Barrie y haber añadido la empresa a su red de talleres de *métiers d'art* de élite.

Para Lagerfeld, el encuentro imaginario entre «María Estuardo, una antigua reina de Francia que se convirtió en un icono de la moda de otro período, y Coco Chanel, que era una especie de reina de la moda francesa», fue una fuente de inspiración para esta colección, «una especie de *look* romántico con una pincelada de crueldad».

UN BOSQUE MÁGICO

Catalogada por *Vogue* como «una secuencia
gótica de *El sueño de una noche de verano*»,
la colección se exhibió en lo que Lagerfeld
describió como «un bosque mágico mezclado con
un antiguo teatro de madera», todo construido
especialmente en el Grand Palais. Lagerfeld
también mencionó el legado cultural de la
boscosa Weimar, centro del romanticismo
alemán de finales del siglo XVIII, como fuente
de inspiración: «No hay nada más elegante que
cierto tipo de melancolía», reflexionó.

Caracterizada por unos espléndidos bordados
(«Me encantan los bordados, y me gusta la idea
de crear bordados que parecen un grabado;
es el *summum* de la sofisticación porque nadie
piensa que se trata de un vestido para cuyas flores
se han destinado 2000 horas de trabajo», explicó
Lagerfeld), y por los diseños florales de la década
de 1930 de los archivos textiles del Victoria
and Albert Museum de Londres, la colección
presentaba, además, una silueta nueva: «unos
hombros marco», como los denominó Lagerfeld,
«porque realzan el cuello y los hombros, pero
también dan un poco de volumen a la figura».

La gala terminó no con una, sino con dos
elegantes novias ataviadas con unos trajes blancos
idénticos, la forma en que el diseñador indicó
que estaba a favor de la ley de matrimonio entre
personas del mismo sexo en Francia.

PLANETA CHANEL

Con un enorme globo terráqueo situado en el
centro del Grand Palais (que contaba incluso
con banderas estampadas con CC que indicaban
las ubicaciones de las tiendas Chanel en los
diferentes continentes) y con los Daft Punk
tocando «Around the World» mientras las
modelos daban vueltas al planeta, la colección
era un claro homenaje al poder internacional
de la marca Chanel.

«Se me ocurrió esta idea por dos razones»,
explicó Lagerfeld. «En primer lugar, Coco
Chanel abrió la primera tienda hace exactamente
un siglo, en Deauville, y ahora hay 300 tiendas
Chanel en el mundo. Pero había otro dato
interesante: en la parte del mundo que va
del Oriente Medio hasta China, a la gente
le encanta la moda francesa y adora a Chanel
porque creamos un producto que la gente aún
desea... Es un homenaje al mundo y a todo
Chanel».

Mientras que la silueta trataba «sobre todo del
movimiento», el gris era el color predominante,
con la excepción de los destellos de color en los
sombreros a modo de casco (versiones en piel
del icónico corte de pelo *bob* de Anna Wintour,
según Lagerfeld). «Todo es plateado. Cambié
casi todo lo que estaba bañado en oro o dorado
por plata, acero y gris porque el tema principal
de la colección va del negro al gris, los colores
de las sombras, y de lo muy misterioso», manifestó
Lagerfeld.

CHANEL EN ASIA

La propia Coco Chanel no viajó nunca a Singapur, pero Lagerfeld decidió que era el momento de trasladar el desfile crucero anual de la marca a Asia (después de Europa y Estados Unidos) y regresar a los elementos puros de Chanel para la ocasión.

«Creé tantos colores para la colección que presentamos en Edimburgo [*véanse* págs. 532-537] que de pronto me gustaba una gama Chanel muy limitada, con beis, blanco, color hueso, marfil y azul marino. Era suficiente; no había necesidad de otros colores», declaró Lagerfeld. «Hay suficientes formas, con las nuevas proporciones para la falda abierta, porque normalmente las faldas largas no quedan bien con tacones, pero las faldas largas hechas como esta sí».

Y si algunos elementos se inspiraron en la cultura tradicional de Singapur, tales como las populares cortinas tejidas en blanco y negro que decoran las casas de la isla e inspiraron los esquemas gráficos de la colección, otros eran decididamente innovadores. Las joyas, por ejemplo, para las que Lagerfeld mezcló «cadenas casi militares de color gris plomo con diamantes de imitación, porque Chanel era famoso por mezclar lo auténtico con lo falso en lo que se refería a las joyas. Así que parecían joyas de la plaza Vendôme, pero mezcladas con gruesas cadenas militares».

«ENTRE AYER Y MAÑANA»

«Entre ayer y mañana, [...] una transición entre el viejo mundo y el nuevo mundo» es como Karl Lagerfeld describió la colección para la que el Grand Palais se transformó en las ruinas de un antiguo teatro medio derruido con vistas a una megalópolis futurista sobre el escenario.

Inspirada en el arte cinético, la colección evocaba también varias películas icónicas, desde *Metrópolis*, de Fritz Lang (uno de los films favoritos del diseñador), hasta Rachael, el prototipo de replicante de *Blade Runner*, mientras que Lagerfeld concibió el peinado y los sombreros como un guiño al famoso tupé de Grace Jones.

Las habilidades excepcionales de los talleres de alta costura de Chanel, desde bordadores de Lesage hasta *plisseurs* (plisadores) de Lognon, se ponían de manifiesto en los complejos bordados y los efectos textiles en 3D que adornaban prácticamente todos los conjuntos. «Un refinamiento gráfico posmoderno», como describió Lagerfeld. «Chanel, pero para otro siglo».

ARTE CHANEL

Para este evento, la primera «exposición de arte» de Chanel, el Grand Palais se transformó en una enorme galería de paredes blancas llena de cuadros y esculturas, desde imponentes frascos de perfume Chanel hechos de mármol hasta lluvias de cadenas para bolsos, todo diseñado por el propio Karl Lagerfeld.

Al son de «Picasso Baby», de Jay-Z, Lagerfeld hizo desfilar pequeñas obras maestras por la pasarela: *tweeds* indefinibles, deconstruidos y reconstruidos, tejidos con tiras de tul; piezas basadas en el sistema Pantone inspiradas en una carta de colores alemana de la década de 1900, y pantalones de piel de pernera ancha de color rosa o gris claro con tejidos de cachemira atados alrededor de la cintura. Todos iban conjuntados con un llamativo maquillaje multicolor «puntillista» (como lo describió Lagerfeld) y un peinado que el diseñador bautizó como «flequillos con alas».

Los complementos también conservaban el tema artístico, con mochilas Chanel pintadas con espray y carpetas de artista a juego con una gran cantidad de pulseras de vistosos colores y collares de perlas y anillos asimétricos de gran tamaño.

El traje Chanel se modificó y se presentó en numerosas versiones multicolores, como «chaquetas sin parte delantera, que quedan preciosas simplemente puestas sobre los hombros; ideales y ligeras para el verano», observó Lagerfeld.

Además, se tocaron muchas de las principales tendencias de cada temporada, desde los metálicos relucientes hasta el grueso encaje de algodón, los escotes asimétricos y las capas transparentes, muchos conjuntados con los característicos guantes sin dedos del propio Lagerfeld.

EL SALVAJE OESTE

Para esta colección de *métiers d'art*, Karl Lagerfeld siguió los pasos de Coco Chanel hasta Dallas, donde viajó en 1957 para recibir el premio Neiman Marcus como reconocimiento a su distinguida labor en el mundo de la moda (los «Oscar de la moda») de manos de Stanley Marcus, cofundador de la tienda Neiman Marcus. «Admiro y amo América. Es donde hice fortuna. Para muchos estadounidenses [...] soy Francia», expuso en *El aire de Chanel*, de Paul Morand, y, de hecho, la prensa estadounidense y los clientes estadounidenses la apoyaron durante toda su trayectoria.

En 2013, fue Karl Lagerfeld quien estuvo en Dallas para recibir el premio, solo unos días después de presentar una colección especial «París-Dallas» en el Fair Park de Dallas. Inspirada en los días del Texas de la preguerra civil y el refinamiento de la cultura americana de principio del siglo XIX, evocó la fantasía y el romanticismo del Salvaje Oeste: el *tweed*, la piel, la tela vaquera y la muselina se adornaban con símbolos de los indios americanos y estrellas (un motivo muy apreciado por Chanel y una referencia aquí al himno nacional, «Star-Spangled Banner»), mientras que la casa de sombreros de señora Maison Michel creó una selección de sombreros Stetson inspirados en la guerra civil. «Debía tener los sombreros que tenían entonces», dijo Lagerfeld. «No quería los famosos sombreros de vaquero que todo el mundo conoce».

«Quería abarcar desde Millicent Rogers en Taos hasta Lynn Wyatt [una *socialite* y filántropa de Texas]. Es la idea de Texas, pero no el Texas corriente. Intenté evitar las animadoras y el aire de las películas de Hollywood con John Wayne. No tengo nada en contra de ellas, pero esto es más romántico [...] es como los wésterns de la época muda, cuando eran mucho más poéticos», prosiguió Lagerfeld. «Quería un toque poético».

CAMBON CLUB

«Un club nocturno de otra galaxia», el Cambon
Club fue el telón de fondo para una colección de
alta costura muy joven y deportiva, con modelos
que corrían y bajaban saltando la gran escalinata
con sus coderas, rodilleras y zapatillas deportivas
de confección, al son de la música que tocaban
Sébastien Tellier y su orquesta vestida de blanco.

«Nada de joyas, bolsos, guantes, pendientes,
absolutamente nada. Se trataba solamente de
actitudes y siluetas, de formas y cortes, y de la
historia de la moda desde 1800 hasta los años
1840-1845, cuando las mujeres llevaban zapatos
planos todo el tiempo, incluso con los trajes de
fiesta», explicó Lagerfeld. Así pues, cada *look*,
ropa de noche incluida, se combinaba con unas
zapatillas de deporte que jugaban con la ligereza
de materiales transparentes como chifón, encaje
y tul, así como telas vaporosas que a veces
estaban bordadas con lentejuelas o decoradas con
plumas incrustadas con detalles metálicos; todo
ello, creado por el fabricante de zapatos Massaro.

«Tuve la impresión de que era el momento
de volver a ver la cintura», reflexionó Lagerfeld.
«Hay una flexibilidad entre la falda, el top y la
cintura, lo que significa que te puedes mover.
No es una prenda rígida, porque eso sería muy
recatado, ni un vestido de la *Belle Époque*».
«Confiere una nueva actitud moderna a la
costura», concluyó.

EL CENTRO COMERCIAL DE CHANEL

«Creo que un poco de humor es necesario», dijo Karl Lagerfeld al presentar el decorado más ambicioso de Chanel hasta el momento: un centro comercial de Chanel ubicado en el Grand Palais, que contaba con pasillos llenos de productos, cajas, carros, ofertas especiales y carteles de descuentos (que anunciaban «Ahora + 50 %»). Más de 500 productos distintos se volvieron a envasar y se etiquetaron debidamente para el certamen: *Lait de Coco* (leche de coco), botellas de agua mineral Eau de Chanel, guantes de goma con camelias prendidas, cereales de arroz Coco Choco, Coco Cookies, cajas de pañuelos etiquetados como Les Chagrins de Gabrielle («Los pesares de Gabrielle», en honor a Gabrielle «Coco» Chanel), una sección de ferretería con una motosierra equipada con una cadena de Chanel real, ginebra París-Londres, kétchup París-Dallas y mucho más.

Citando las imágenes de cultura del consumo del arte pop, el *99 cent* de Andreas Gursky y a Andy Warhol como fuentes de inspiración, Lagerfeld concibió esta gala a partir de la galería de arte creada para la anterior colección de *prêt-à-porter* (*véanse* págs. 556-561): «El primer arte fue un arte de supermercado, porque el arte se ha convertido en un producto, ¿no?», le sugirió a Hamish Bowles. «Me gusta que la moda forme parte del día a día, y que no sea algo que quede al margen. Chanel va de esto».

Se desarrollaron algunos elementos a partir de la anterior colección de Lagerfeld para Chanel (*véanse* págs. 566-569). «En el siguiente paso desde la confección, en la versión *prêt-à-porter*, las zapatillas deportivas se convierten en botas», explicó Lagerfeld. Se transfirió el aire joven y deportivo a una colección que versaba sobre «una silueta consciente del cuerpo, pero muy cómoda al mismo tiempo». La cintura seguía marcándose, pero con un giro: los *blazers* compuestos por cuatro o cinco piezas servían para definir la cintura, realzada por modernos corsés con cremallera. «La cintura es muy cómoda porque no se trata de huesos y encajes como la confección, sino que se hace con todas esas cremalleras; puedes desabrocharte una parte y es más fácil entrar».

El color estaba por todas partes, con los tonos apagados de los *tweeds* suaves a modo de contrapuntos a las explosiones de verde ensalada, naranja zanahoria, rosa remolacha y amarillo limón. Los guiños sutilmente irónicos al tema del supermercado también aparecían en las prendas de ropa y los complementos, desde pequeños carros de supermercado decorados con la cadena Chanel hasta bolsos 2.55 envueltos en plástico retráctil y cubiertos de pegatinas «100 % cordero» y botones en forma de tapas de lata. «En Chanel, podemos jugar con todo y hacer lo que nos plazca. Nadie nos dice lo que debemos hacer», declaró Lagerfeld.

RENACER ORIENTAL

«Es Chanel para el siglo XXI; una mezcla del viejo
mundo y el nuevo mundo, en una moderna parte
del mundo», dijo Karl Lagerfeld de la colección
crucero que presentó en un auditorio de color
arena expresamente construido para la ocasión
en The Island, una isla artificial privada enfrente
de Dubái. «Creo que era el momento para un
renacer oriental porque Oriente es cada vez más
importante en la historia del siglo XXI», añadió.

Teniendo cuentos de hada, el cine, cuadros de
Delacroix y los diseños del modisto Paul Poiret
de 1914 como fuentes de inspiración, Lagerfeld
también se fijó en los azulejos de los siglos XI
y XII de la España musulmana para crear los
estampados de la colección: «Es increíble cuán
modernos parecen estos diseños florales casi mil
años después».

La colección hacía un especial hincapié en las
joyas, desde collares de perlas inspirados en los
bereberes hasta diademas de media luna. «En las
décadas de 1850 y 1860, estaba la moda de llevar
joyas en forma de luna», le comentó Lagerfeld
a Sarah Mower, «y, por tanto, la media luna es
como una C, ¡la mitad de la doble C de
Chanel!».

«Esta es la idea que tengo de un Oriente
romántico, moderno», añadió. «Cogí lo que
creo que es sexi y atemporal en la moda oriental
y creé un *look* moderno. Es una colección hecha
para esta parte del mundo, pero creo, y espero,
que sea para mujeres de todo el mundo».

BARROCO DE CEMENTO

Arquitectónica en muchos sentidos, esta colección
de alta costura se presentó en una pista de aterrizaje
a escala reducida de color blanco, flanqueada en
ambos lados por unas puertas correderas que
dejaban al descubierto una decoración idéntica
en cada extremo: una chimenea rococó debajo de
un espejo Chanel dorado, situados al lado de una
austera pared de color gris. Era una idea que, según
Lagerfeld, estaba inspirada en la terraza de un
salón sin techo de un ático de lujo que diseñó
Le Corbusier para el excéntrico coleccionista de
arte Carlos de Beistegui en la década de 1930, que
contenía una chimenea exterior con un espejo
circular colocados junto a una pared de cemento.
«Me gustaba la idea de los elementos barrocos y
pinceladas modernas», declaró Lagerfeld. «Este es
el tema de la colección: cemento con elementos
barrocos. Le Corbusier se va a Versalles».

De hecho, se usaba propiamente cemento en la
colección: fragmentado en baldosas minúsculas,
se empleaba a modo de bordados, joyas, botones,
trenzados y tejidos de malla, una innovación de
Chanel que llevaba años en desarrollo. «Me gusta
la idea de utilizar materiales que no se suelen elegir
para la alta costura», señaló Lagerfeld, que después
desafió las normas invitando a una novia en estado
avanzado de gestación a cerrar la gala.

La colección también incluía vestidos y faldas de
línea A (todos combinados con unas chanclas
de lujo provistas de unas tiras con joyas incrustadas
y cintas de tafetán anudadas) directamente
moldeados con neopreno: «*haute couture sans
couture*» («alta costura sin costuras»), bromeó
Lagerfeld. «Quería que las modelos parecieran
pájaros, con un cuello largo y sin pelo suelto,
porque el pelo alborotado no habría quedado
bien con el corte impecable y el volumen de
los vestidos», argumentó. «Me gusta este toque
como de pluma».

BULEVAR CHANEL

«Después del supermercado [*véanse* págs. 570-
575], debíamos regresar a la calle», anunció
Karl Lagerfeld al presentar este monumental
decorado estacional en el Grand Palais: «Bulevar
Chanel», una calle de París real, con aceras,
andamios y edificios haussmannianos de
25 metros de altura.

En el Bulevar, la «demostración de moda»
de Chanel presentó un *look* firme y cómodo
poniendo mucho énfasis en la individualidad
(el peluquero Sam McKnight y el maquillador
Tom Pecheux crearon unos *looks* únicos para
cada modelo) y el color, incluyendo llamativos
estampados extraídos de detalles de acuarelas
que había creado el propio Lagerfeld.

Manteniendo el centro de la protesta
en la igualdad de género («Los derechos
de las mujeres están más que bien»,
rezaba uno de los letreros), la colección
era una mezcla de elementos masculinos
y femeninos: trajes de tres piezas, largos
abrigos masculinos, pantalones de corte
ancho con dobladillos, faldas envolventes
y bermudas cortas rigurosas combinadas
con blusas transparentes cubiertas con cuellos
berta, y zapatos *derby* dorados que eran
«como un zapato de hombre por delante,
y como un zapato de mujer por el tobillo».
El desfile incluía, además, el nuevo bolso
«Girl», que incorpora todos los elementos
de la chaqueta Chanel (*tweeds*, trenzados
y botones), y se puede llevar colgado del
hombro o atado alrededor de la cintura,
«como una chaqueta», señaló Lagerfeld.

En homenaje al espíritu de Mayo del 68,
la colección incluso contenía lo que el
diseñador describió como «bordado de
acera» (vestidos confeccionados con
rectángulos bordados de color acero)
y finalizó con una nota energética, con
las modelos empuñando megáfonos
acolchados Chanel al son de «I'm Every
Woman», de Chaka Khan.

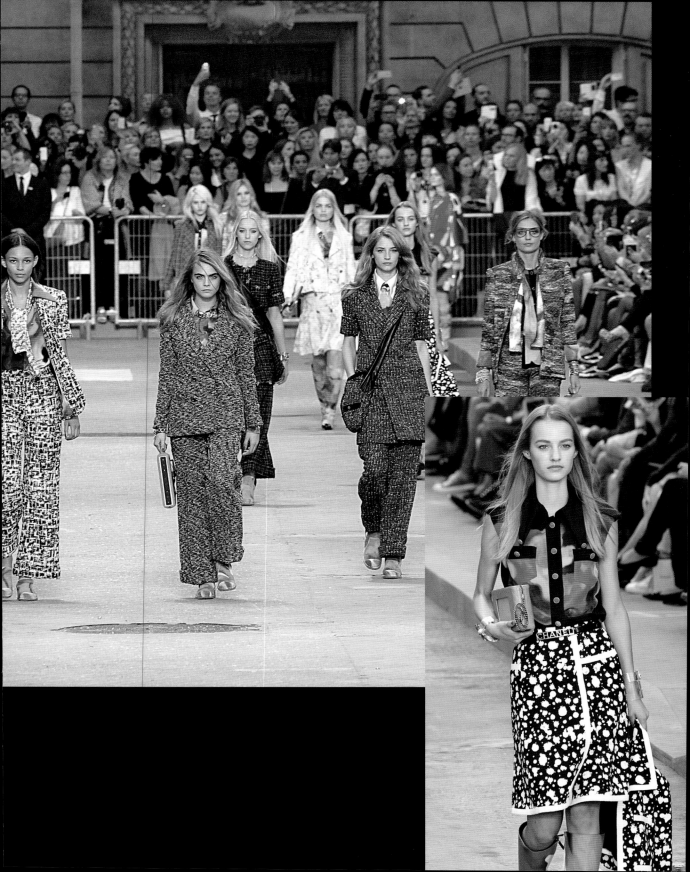

DESDE SISÍ HASTA CC

Presentada en el Schloss Leopoldskron del siglo XVIII, uno de los palacios rococó más notables de Austria (tal vez más conocido por su aparición en *Sonrisas y lágrimas*, además de ser el lugar donde Max Rheinhardt fundó el Festival de Salzburgo), la colección bebe en la emperatriz Isabel de Austria, apodada Sisí, y en el atuendo tradicional austríaco, como los *lederhosen* y el *dirnld*, unas prendas a las que los talleres de Chanel confirieron un toque de lujo moderno.

Las plumas de la Maison Lemarié eran un plato fuerte de la colección: «En la mayoría de las prendas que veis, los bordados contienen muy pocas piedras, pero muchas plumas», explicó Lagerfeld. «Es como la piel que vuela. Hay un oficio increíble detrás».

«París-Salzburgo», no obstante, «va de la chaqueta», continuó. «No debemos olvidar que Coco Chanel, para crear la chaqueta, se inspiró en Austria, donde un mozo de ascensor vestía una chaqueta como esta. Ella añadió el *tweed*, puso el trenzado para hacerla completamente distinta y creó, así, la chaqueta para mujeres».

Creado a principios de la década de 1950, el icónico traje Chanel sería lucido por algunas de las mujeres más elegantes del mundo, entre ellas, la actriz austríaca Romy Schneider, amiga y clienta de Coco Chanel que llevaba trajes Chanel tanto dentro como fuera de la pantalla; cabe destacar, en particular, el episodio «Il Lavoro» de la película de culto en formato de antología *Boccaccio '70*, de Luchino Visconti.

COSTURA EN FLOR

Descrita por la firma como «una reinvención
majestuosa del rito de la primavera», la colección
se presentó en un magnífico invernadero de
planta circular, dentro del que había un jardín
tropical repleto de flores de papel, unas plantas
mecánicas que se abrían y daban unas flores
de origami, una tras otra, cuando las «regaban»
unos modelos que hacían de jardineros. «Hay
300 máquinas bajo nuestros pies, y cada una
hace que una flor funcione», explicó Lagerfeld,
«como un libro de cuentos *pop-up*».

«La mujer flor del siglo XXI» de Lagerfeld lucía
unos colores atrevidos, deliberadamente más
eléctricos que la gama básica de Chanel (negro,
blanco, beis y pasteles), y hacía gala de una nueva
silueta: unos tops cortos dejaban al descubierto
los *midriffs* de las modelos («la cintura es el
nuevo escote», proclamó Lagerfeld), unas botas
planas de piel negra parecidas a calcetines y unos
enormes sombreros de ala ancha hechos con
paja que quedaba oculta por unos velos de tul.
En la misma línea del tema floral, unos ramos
de organza, piel, tul, acetato de celulosa
transparente y perlas también florecían de faldas,
chaquetas, mangas y mitones de chifón, mientras
unas flores delicadas adornaban elegantes gorros
beanies de punto.

Creado en los talleres de Lemarié (donde una
docena de personas juntaron más de 3000 piezas
a lo largo de un mes), el vestido nupcial
combinaba chifón, organza, volutas de plástico
blancas irisadas, diamantes de imitación y perlas.
El vestido, completamente bordado con
lentejuelas y con el cuerpo de manga corta,
relucía sobre una larga cola que era como un
lecho de flores, y un sombrero de ala ancha
cubierto con un tul vaporoso sustituía el velo
blanco tradicional.

LA COLECCIÓN FRANCESA

«Francesa por excelencia»: es tal cual como Karl Lagerfeld describió la colección presentada en la Brasserie Gabrielle, un restaurante parisino totalmente operativo que fue expresamente construido para la ocasión según la tradición de los emblemáticos lugares de reunión de París, tales como Maxim's y La Coupole, donde Gabrielle «Coco» Chanel y la fastuosa «sociedad del café» de la que formaba parte se mezclaban y se divertían hace muchas décadas.

Reinterpretando el guardarropa de la chic *bourgeoise* parisina, Lagerfeld ofreció «todo tipo de propuestas y proporciones: para el día, para la noche [...] Lo único que vale para todo es el calzado: una versión moderna del zapato de Chanel más antiguo, que jamás había usado».

Todas las modelos calzaban una versión actualizada (con un tacón cuadrado y unas proporciones modificadas) del zapato bicolor (beis y negro) de tacón con el talón descubierto que fue creado por *mademoiselle* Chanel en 1957. Catalogado por Lagerfeld como «el zapato más moderno», fue diseñado para lograr un efecto sumamente gráfico: el beis estiliza la pierna, mientras que el negro acorta el pie.

Además de suntuosos *tweeds* y prendas de punto al estilo más puro Chanel, la colección ofrecía varios guiños al tema del café, desde los largos delantales de *grosgrain* atados a la cintura encima de largos pantalones o largas faldas al estilo de un «neotraje de tres piezas» (y en homenaje a los largos delantales antiguos que aún llevaban algunos camareros franceses), hasta bordados multicolores que parecían baldosas en miniatura.

ARTE K-POP

Después de Dubái (*véanse* págs. 576-579), Chanel se dirigió al Dongdaemun Design Plaza de Seúl, en Corea del Sur, el mayor complejo neofuturista del mundo, diseñado por Zaha Hadid, para presentar su nueva colección crucero.

La influencia de los trajes típicos de Corea y las tradiciones se ponía de manifiesto de formas sutiles, desde fastuosos bordados en las prendas de noche que recordaban la marquetería de nácar y oro de los antiguos cofres nupciales coreanos, hasta las labores de *patchwork* subyacentes que rendían homenaje a los *bojagi*, las singulares piezas de tela coreanas, y, por supuesto, al *hanbok*, el vestido típico de Corea, cuya cintura alta, mangas holgadas y hombros redondeados se pudieron apreciar en varias prendas de la colección.

Sin embargo, Lagerfeld no se centró estrictamente en la Corea tradicional, sino que los colores eléctricos, la estética almibarada y la energía de alto voltaje del K-pop estaban muy presentes en la colección y en el diseño del decorado, que Lagerfeld describió como «una versión moderna de una escena de arte pop del modo que creo que los coreanos la podrían interpretar».

La joyería atrevida (incluida la «nueva camelia» bordada a mano) era omnipresente, y las modelos lucían tacones y puntera cuadrada o unas Mary Janes de charol con calcetines incorporados; como concluyó Lagerfeld, «una colección inspirada en las antiguas tradiciones de Corea, pero hecha de una forma moderna».

CASINO DE CONFECCIÓN

Esta fastuosa colección de alta costura se inspiró en el glamur de la vieja escuela de los casinos exclusivos en la época de Coco Chanel. Se presentó en un casino con reminiscencias del *art déco*, que contaba con una ruleta y mesas de *blackjack* con elegantes crupieres, alrededor de las que un grupo de invitados especiales, entre ellos actrices como Julianne Moore y Kristen Stewart, todas vestidas de Chanel y luciendo joyas Chanel de platino y diamantes (basadas en la colección de Coco Chanel «Bijoux de Diamants», de 1932), hacían sus apuestas.

Las creaciones de Lagerfeld, sin embargo, combinaban la tecnología punta con la virtuosidad de la alta costura tradicional: el representativo traje Chanel, reinventado aquí en una versión de corte trapezoidal con los hombros rectos, estaba confeccionado de tal forma que parecía tridimensional gracias a una técnica denominada «sinterización selectiva por láser». En vez de tela y puntos, la estructura de la chaqueta se fabrica mediante impresión en 3D, de una pieza, con una textura suave. A continuación, a modo de lienzo para las *petites mains* de los talleres de Chanel, el «armazón» enrejado relleno de acolchado se decora con bordados de lentejuelas y trenzados. Como explicó Lagerfeld, «la idea era coger la chaqueta más emblemática del siglo XX y transformarla en una versión del siglo XXI, que técnicamente era inconcebible en el período en que se creó. Es una sola pieza; no se cose, se moldea».

De igual manera, el tradicional traje nupcial se reinterpretó de una forma contemporánea: la modelo Kendall Jenner fue una novia con esmoquin, enfundada en un traje nupcial blanco de satén ancho de hombros, con un largo velo de tul bordado que flotaba desde los hombros para formar una cola poco convencional.

«CHANEL AIRLINES»

Después de trazar vuelos en Los Ángeles (*véanse* págs. 400-401) y de usar un avión de tamaño real como pasarela de alta costura (*véanse* págs. 514-515), la firma invitó a los clientes a regresar al aeropuerto de París Cambon, terminal 2C, puerta n.º 5, en el interior del Grand Palais, donde no faltaban las hileras de mostradores para facturar y un panel de destinos que enumeraba las ubicaciones de anteriores exhibiciones crucero y de *métiers d'art*.

«Los viajes aéreos forman parte de la vida, y quiero hacerlos más perfectos de lo que son», declaró Karl Lagerfeld. «Los hago como deberían ser. Chanel Airlines es un *jet* privado para todo el mundo».

El diseñador jugó con motivos de aviones, flechas indicadoras y las letras de los carteles de salidas (*véase* pág. 619, izquierda) en conjuntos que llevaban como complementos el nuevo equipaje de mano «Coco Case», gafas de sol de aviador con un motivo acolchado y maquillaje azul aplicado en forma de antifaz para dormir.

Los trajes Chanel que dieron comienzo a la colección no eran lo que parecían: la tela que semejaba *tweed* tejido en realidad estaba bordada a mano (*véase* derecha), y el emblemático borde trenzado no estaba formado por hilos, sino que la trenza tradicional había sido fotografiada, y las fotografías habían sido laminadas en silicio, que se empleaba como ribetes en los trajes (*véase* pág. siguiente).

De la gama de rojo, blanco y azul de Air France, surgió una serie de vestidos largos envueltos alrededor de pantalones, intercalados con destellos plateados. «He usado mucho el brillo plateado porque esta es la idea que sugieren los aviones, cuando reflejan el sol», añadió Lagerfeld.

Aunque carezcan de botones dorados, las «relucientes chaquetas de espiguilla y los sencillos tops sin mangas, recubiertos de cristal y adornados con gruesos lazos negros de cinta», que cerraron la colección (*véase* pág. 619, superior izquierda e inferior derecha), son Chanel por excelencia, en la intemporalidad», informó *Vogue*.

«PARÍS EN ROMA»

Presentada en el estudio número 5 de Cinecittà,
donde Federico Fellini rodó su obra maestra
La dolce vita en la década de 1960, esta colección
de *métiers d'art* rindió homenaje al apogeo del
cine italiano, a la vez que conservaba su
naturaleza parisina.

«Esto es París en Roma», insistió Karl Lagerfeld.
«Esta firma es francesa; la colección está hecha
en Francia por los mejores artesanos, los más
experimentados y talentosos del mundo».

Había reminiscencias de las *femmes fatales*
del cine de la *New Wave* de la década de 1960
(algunas de ellas, como Jeanne Moreau y
Delphine Seyrig, iban vestidas por Gabrielle
Chanel dentro y fuera de la pantalla), con medias
colmenas, trajes clásicos y una gama propia de
film noir.

La base de la silueta era una innovación:
«la chinela... Es un zapato típico de Chanel,
abierto por detrás, pero nunca lo habíamos
confeccionado. Con una media de encaje,
es algo que, en opinión de la gente, está muy
ligado a París», explicó Lagerfeld.

Los detalles de la lencería y los adornos de
encaje realzaban los trasfondos seductores
de la colección. «Es un arte parisino que sugiere
el erotismo en vez de plasmarlo claramente»,
informó Sarah Mower, de *Vogue*, «pero, de cerca,
el vicio estaba sin duda en las anillas metálicas
colocadas justo en el centro de los cinturones
y en una gargantilla o dos».

Entre los ingeniosos guiños al decorado romano
de la colección, cabe citar los lazos *farfalle* de
piel bordados con abalorios, diseñados para la
ocasión por la Maison Lesage (*véase* pág. 622,
derecha) y las plumas pintadas a mano de modo
que parecieran mármol (*véase* pág. 623, inferior).

El marco monocromático, diseñado para evocar
«un París perfecto, muy romántico, un poco
sucio, como una foto de Atget», también
incluía su propio «cine», donde tuvo lugar
el estreno del nuevo cortometraje de Lagerfeld,
Once and Forever, protagonizado por Kristen
Stewart y Geraldine Chaplin, que interpretaban
a dos actrices que, a su vez, interpretaban a
Gabrielle Chanel en su biografía (ficticia);
una película dentro de una película, en un
escenario cinematográfico dentro de un escenario
cinematográfico.

ALTA COSTURA ECOLÓGICA

«Muy pura, muy zen»; así es como describió
Karl Lagerfeld la delicada casa de madera
construida en el Grand Palais como telón de
fondo de una colección dedicada a la naturaleza.

«Estamos en mitad de la nada, en una casa de
ensueño que debería ser realidad», añadió el
diseñador. «Me gustaba la idea de dar un paso
más en lo que se refiere a la ecología y crear
una versión de alta moda, muy elegante y muy
fastuosa de ella. Y crear preciosos bordados con
madera, paja y cosas como estas».

Junto con la madera y las notas florales, las abejas
eran otro tema clave de la colección, bordadas en
tul o engastadas en joyas de confección, como
símbolo de la renovación de la naturaleza,
mientras que la gama de colores seguía siendo
muy sencilla, en tonos beis terrosos salpicados de
destellos azul marino, negros, blancos o dorados.
«Gabrielle Chanel era la reina del beis», explicó
Lagerfeld, «y jamás había creado una colección
beis como esta. Creo que los vestidos favorecen
en este [color] porque la línea es bastante pura».

«El punto de partida para esta colección era la
silueta», declaró Lagerfeld. Las mangas ovaladas
resaltaban en contraste con unas largas faldas
lápiz con corte, combinadas con unos tacones
de suela de corcho y unos bolsitos sujetos al
cinturón ideales para llevar el móvil. «Este es
nuestro nuevo bolso, idéntico a los que usaban
las señoras de las casas solariegas en el siglo XV
para llevar las llaves», bromeó.

«Desde los moños arqueados hacia arriba hasta
las formas redondeadas de los vestidos, la
colección parecía clásica pero fresca, y el trabajo
manual, mágico», afirmó Suzy Menkes para
Vogue. «[Karl Lagerfeld] captó un momento
de la moda precioso», que culminó con un final
espectacular, en el que los postigos de la casa se
abrieron y aparecieron todas las modelos y el
diseñador en persona.

«COCO CUBA»

Chanel presentó su primer desfile crucero
en Cuba en el paseo del Prado, la emblemática
avenida revestida de mármol que cruza La Habana,
el día en que el primer crucero estadounidense en
casi cuarenta años atracó en la capital.

«No hay ningún lugar en el mundo como Cuba»,
manifestó Karl Lagerfeld. «Los colores, los coches;
hay algo muy conmovedor en esto. Posee una
identidad que me gusta, y siempre quise ir».

El desfile rindió homenaje a la cultura musical
única de Cuba, con actuaciones del dúo Ibeyi,
las gemelas francocubanas (e hijas del percusionista
Angá Díaz, miembro del Buena Vista Social Club)
Lisa-Kaindé y Naomí Díaz, y un clamoroso final
a cargo del grupo Rumberos de Cuba.

Lagerfeld, que siempre había sido un amante
de la cultura latina, describió la colección
como «una idea de una Cuba chic y moderna...
Son prendas sencillas». Desde camisetas con la
inscripción «Viva Coco Libre» hasta sombreros
Panamá tejidos a mano, dibujos de coche *vintage*,
zapatillas con perlas encastadas y *minaudières*
(«caja de puros»; *véase* pág. siguiente, inferior
izquierda), el diseñador «mostró ropa que
idealizaba la esencia de las prendas crucero»,
escribió Tim Blanks.

La colección «hace suaves *riffs* sobre cubanismos»,
informó *Women's Wear Daily*. «Los pulcros
plisados verticales de las guayaberas –las típicas
camisas de hombre– se incorporaron a las
chaquetas Chanel; los colores propios de la playa
y los eslóganes salpicaban los *tweeds* nudosos y las
camisetas de regalo, y las llamativas pinturas en
los coches de los años cincuenta figuraban en los
vestidos de lentejuelas».

«¡Lo tenía todo!», exclamó la actriz cubana Ana
de Armas. «Las grandes mangas de los bailarines de
rumba, las típicas chanclas cubanas que la gente
lleva durante todo el día, las mallas que las chicas
lucen en la calle y la boina militar del Che Guevara,
un gran clásico cubano, con el emblema de Chanel
en vez de una estrella».

«Era Cuba importada a un paisaje onírico de la
moda», declaró Suzy Menkes para *Vogue*.

«CORTES GRÁFICOS»

«Sin grandes talleres, no puedes crear una gran
colección», declaró Karl Lagerfeld, que dedicó
este desfile a los talleres de alta costura de la calle
Cambon, recreados en el Grand Palais para la
ocasión, con las costureras de Chanel trabajando
entre el público. «Nunca llegan a ver los desfiles,
y merecen un reconocimiento», añadió el
diseñador. «Creí que era una idea moderna el
hecho de que participaran, para que la gente
les prestara atención, porque su habilidad es
asombrosa».

Con el título de «Cortes gráficos», la colección
reinventó las proporciones del traje Chanel
tradicional en torno a unas líneas más angulares
y arquitectónicas, poniendo especial atención en
los hombros, «que se extienden y se aplanan
en dos dimensiones sin una estructura interna»,
explicó el *New York Times*. El diseñador señaló
con entusiasmo que el efecto se lograba sin
ningún acolchado. «Es lo que los franceses
denominan *biseauté*; cuando los pliegues son
oblicuos, se trata solamente del corte del
material... Están hechos de forma impecable».

Para la noche, los efectos geométricos se
suavizaban en unos diseños «inspirados por las
heroínas creadas por el ilustrador inglés Aubrey
Beardsley a finales del siglo XIX», manifestó la
firma. Unos largos vestidos de encaje, tafetán,
muselina, organza, tul de seda, *radzimir* o
georgette bordados, con telas superpuestas
en muchas ocasiones, estaban profusamente
decorados, ribeteados con plumas o perlas,
y pulcramente plisados para crear una silueta
delicada, que realzara la virtuosidad de las
petites mains de la firma.

«Lagerfeld quería que supiéramos exactamente
quiénes creaban, y el tiempo que se empleaba
en crear las prendas por las que el mundo lo
honoraba. Fue un gesto generoso», señaló
Tim Blanks. «Como demostración –prueba,
en verdad– del valor actual de la alta costura, no
podría haber sido más claro o más impresionante»,
concluyó Sarah Mower, de *Vogue*.

«TECNOLOGÍA ÍNTIMA»

Tras rendir homenaje a la labor profundamente humana de las *petites mains* de la firma (*véase* pág. 638), Karl Lagerfeld pasó a lo inmaterial para esta nueva colección, presentada en un colorido «Centro de Datos Chanel» construido en el interior del Grand Palais.

El diseñador reinventó el icónico traje de *tweed* de Chanel para unos «robots de un futuro desconocido», como sugirieron los conjuntos que abrieron el desfile (*véase* derecha). «Eso significa que Chanel es atemporal, y, como dicen los franceses, *immortel*», bromeó Lagerfeld.

«El centro de datos es algo propio de nuestro tiempo [...] Me gustó la idea y la adapté, pero no es tecnología en un sentido frío, es tecnología íntima», explicó Lagerfeld. La colección mezclaba prendas exteriores concebidas como «armaduras para el mundo exterior», con unas combinaciones muy próximas a la lencería de un color carne suave. «Hay algo poético en este tipo de lencería», añadió Lagerfeld. «Depende de nosotros que la máquina tenga alma».

Inspirados en el tema de la tecnología digital, estaban los «datoaccesorios» (desde bolsas con pantallas led que deletreaban mensajes hasta bolsos *clutch* en forma de robots), gafas de sol al estilo *Matrix* con letras en cascada que deletreaban el nombre de la firma, y divertidas joyas en abundancia; entre ellas, la adaptación de un dibujo de una famosa cruz bizantina de Chanel a la forma de aspa de los mandos de los videojuegos, convertida en pendientes, broches, pulseras y colgantes.

Las telas también se reinventaron para aludir al tema de la colección, con ricos «*tweeds* de píxeles» («los hilos de algodón y vaquero simulan manojos de cables electrónicos, mientras que la estructura de *tweed* se ha digitalizado para crear un nuevo diseño, y los botones de la chaqueta se han sustituido por trozos de velcro que determinan cómo está fabricada la pieza», manifestó la firma) y tonos eléctricos inspirados en el resplandor del neón y el brillo de la pantalla. «Era como si el cableado de color caramelo de un millón de placas base se hubiera desenredado e instalado de nuevo», resumió Tim Blanks.

ESPEJOS PLATEADOS

Haciéndose eco de la famosa escalera de espejos *art déco* que concibió Gabrielle Chanel para el número 31 de la calle Cambon, un monumental cilindro recubierto de espejos se erigió bajo la cúpula del Grand Palais, y el suelo se cubrió enteramente con espejos de vidrio ahumado, a imitación del efecto acolchado del sello Chanel.

«Quería que todo fuera plateado, espejo, metálico, aluminio», explicó Karl Lagerfeld. «Pensé que era el marco perfecto para la colección. Quería algo impecable, limpio, [y] que las chicas parecieran modelos dibujadas que andaban. Todo el bordado es abstracto, no hay flores ni artificiosidades».

La óptica minimalista del diseñador, sin embargo, se veía atenuada por su amor declarado por las plumas y por una reinvención más sinuosa y drapeada del traje Chanel inspirada en *La mujer cuchara*, creada por Alberto Giacometti en 1926, elevando la cintura (marcada con un cinturón plano) y abultando la tela alrededor de las caderas. «El drapeado tiene que ser perfecto», añadió Lagerfeld. «Lo que quería era algo impecable».

«La forma etérea parecía infundir una nueva vida a los típicos trajes de *tweed* y contribuir a una robusta colección con un punto de vista indiscutiblemente moderno», observó con aprobación *The Guardian*.

Para la noche, los vestidos se caracterizaban por una profusa decoración, con bordados reflejados que eran realzados por explosiones de plumas en los dobladillos o las mangas. «A pesar de la extravagancia de los materiales, el concepto nunca perdió su distinción», relató *Women's Wear Daily*. «Los vestidos hacían una propuesta actual (cabría decir incluso visionaria) para elevar el oropel a la gloria en un contexto maduro real».

ESPACIO AÉREO CHANEL

«Es un viaje a través del cielo, hasta el
corazón de las constelaciones», declaró
Karl Lagerfeld para introducir una colección
presentada en el «Centro de Lanzamiento
Nº 5», equipado con un cohete de 35 metros
de altura en el interior del Grand Palais.

«La gente [...] ve solo la pantalla. Ya no
ve el mundo. Y no sé si ve el espacio», añadió
el diseñador. «Intergaláctico [...] el cielo es
una inspiración... Es una fantasía sobre el aire
para la tierra. Creo que es muy realista en
este sentido».

Las telas se inspiraban en el tema espacial,
desde los «*tweeds* estrellados», bordados con
ristras de abalorios nacarados (*véase* pág. 657,
superior derecha) –«es muy anticuado pensar
que el brillo es solo para los clubs nocturnos»,
proclamó Lagerfeld–, hasta efervescentes
piezas de vinilo que imitaban la superficie de
planetas inexplorados (*véase* pág. 656, inferior
derecha), así como tonos de «plata luz de
luna» y huellas de astronauta por todas partes.

Haciéndose eco de los trajes espaciales,
algunos cuellos eran altos y redondos,
provistos de unas anillas metálicas como
si tuvieran que sostener unos cascos antes
de dirigirse al espacio exterior. «Le da un
toque de modernidad a un suéter clásico,
pero no saben lo difícil que fue lograr un
buen resultado, porque cada vestido y cada
suéter son de una talla distinta», explicó
Lagerfeld. «Era cuestión de milímetros».

Calzadas con botas relucientes, y con unas
cintas del pelo bordadas con abalorios
y cristales, y complementos como bolsas
en forma de luna (*véase* pág. 656, inferior
izquierda), mochilas plateadas o *minaudières*
«cohete» (*véase* pág. siguiente), las modelos
dieron vueltas alrededor del cohete Chanel
en una pasarela elevada antes de posar para
un final espectacular, en el que el cohete
«despegó» en un gran alarde de pirotecnia
e hidráulica. «Una obra de teatro *vintage*
del gran *showman* de la moda», dictaminó
Financial Times.

«LA MODERNIDAD DE LA ANTIGÜEDAD»

Concebida como un viaje imaginario a una Grecia idealizada, y titulada «La modernidad de la antigüedad», la colección se presentó en un paisaje de ruinas de la antigua Grecia inspirado en el Partenón, así como en el templo de Poseidón, en el cabo Sunion, transportada a la galería Courbe del Grand Palais.

«Considero Grecia el origen de la belleza y la cultura, donde había una maravillosa libertad de movimiento que ya ha desaparecido», explicó Karl Lagerfeld. «Los griegos poseían algo que se perdió más adelante: el cuerpo no era algo que se escondía, algo de lo que se debía estar avergonzado, que es lo que se pensaba en siglos posteriores. Como hoy en día, el cuerpo era importante, iba con la ropa, todo era fácil, nada afectado, y este es el mensaje moderno que me transmite la antigüedad».

El tema de lo antiguo se interpretó de forma lúdica −«tienes que darle un giro», declaró Lagerfeld− con unos cortos vestidos sin forro de *tweeds* bordados, con un corte que recordaba «la simplicidad de las túnicas mediterráneas», motivos en las prendas de punto que evocaban vasijas y frisos antiguos, vestidos drapeados pintados con «coronas matizadas de oro hechas con hojas de roble y ramas de laurel entremezcladas con camelias», y «vestidos sencillos de tela de lino inspirados en el guardarropa espartano con un corpiño con pechera, adornado con piedras multicolores» (*véase* pág. 661, izquierda), antes de que cerrara el desfile una serie de vestidos de un blanco virginal con cinturas entalladas y bordadas con lentejuelas para crear un efecto marmóreo (*véase* pág. 661, superior derecha).

«Del mismo modo que la banda sonora de Michel Gaubert combinaba las composiciones del cerebro de Iannis Xenakis con los temas amanerados del grupo griego de rock progresivo Aphrodite's Child, las prendas del señor Lagerfeld eran una remezcla griega, un esprint de proporciones olímpicas a través de la iconografía jónica», expuso Alexander Fury para el *New York Times*.

Entre los complementos cabe citar las sandalias estilo romano con tacones «columna» y con correas de piel atadas; delicadas ramas de tonos dorados, hojas de laurel y hojas de olivo que se lucían a modo de joyas; cintas bordadas que rodeaban la cabeza como una corona, e incluso una *minaudière* lechuza, en alusión al símbolo de la diosa Atenas (*véase* pág. 661, inferior derecha).

«Expreso a través de la moda una fascinación que he tenido desde la infancia; el primer autor que leí fue Homero», reflexionó Lagerfeld.

DEBAJO DE LA TORRE EIFFEL

Presentada al pie de una réplica de la Torre Eiffel de 38 metros de alto, la colección se concibió como «una carta de amor a París», declaró Karl Lagerfeld. «No me cabía toda la torre, así que puse una nube en la cima».

«Es una visión de una mujer parisina que ha resurgido», explicó el diseñador. «Se trata básicamente de corte, formas, siluetas. Aquí la línea es muy nítida y gráfica [...] la [alta] costura debe ser una estructura perfecta e impecable». Suzy Menkes, en una reseña para *Vogue*, valoró que la colección era «tan parisina como podía ser: rigurosa en el corte, pero redondeada en las formas».

«Lagerfeld se centró en un principio esencial que compartían la Torre Eiffel y la propia [alta] costura: la perfección de la estructura», informó *Women's Wear Daily*. «Para evidenciarlo, el dosier de prensa contenía varios *looks*, y de cada uno se habían tomado dos fotos, una en blanco y negro, y la otra, como una silueta, de la que solo se podía apreciar un contorno preciso».

Se emplearon materiales de lujo, desde el clásico satén negro hasta la preciosa seda mikado japonesa («es un material divino porque flota; parece rico y pesado, pero en realidad es muy ligero», observó Lagerfeld) y salpicaduras de plumas «tratadas como piel» que alegraban los hombros, los escotes y los bolsillos.

Como cierre del desfile, el diseñador mostró un vestido nupcial de satén blanco con bordados de plumas, una creación de la Maison Lemarié. «Algunas personas del público cambiaron los móviles por pañuelos cuando la novia desfiló por el largo camino de gravilla luciendo un traje de fiesta de cintura alta, ribeteado con mangas como de plumas y dobladillo, mientras el tren flotaba detrás como una nube», escribió Suzy Menkes. «Como una oda a París, la gala fue inolvidable».

Este homenaje al estilo parisino por excelencia tuvo como brillante colofón la entrega a Karl Lagerfeld de la medalla Grand Vermeil, la mayor distinción de París, de manos de la alcaldesa de París, Anne Hidalgo, por su aportación a la moda.

CASCADAS

Después de sumergirse en el agua en una colección anterior (*véase* pág. 506), Karl Lagerfeld se inspiró de nuevo en el medio acuático; esta vez, fue al aire libre, con unas colosales cascadas precipitándose por unos acantilados cubiertos de musgo, que vio en las gargantas del Verdon, al sur de Francia. «Me atraía la idea del agua, de la ligereza», explicó Lagerfeld. «El agua en movimiento es centelleante, efervescente... Es una fuerza reparadora. Sin agua, no hay vida».

Los pendientes en forma de gota compuestos por perlas iridiscentes y vidrio captaban y refractaban la luz, y la transparencia era un hilo conductor clave, desde canotiers, capuchas y capas de PVC transparentes (a menudo, salpicados de bordados de perlas), hasta guantes sin dedos y botas.

Después del *look* que abrió el desfile, un traje de charol y *tweed* ancho de hombros que lucía Kaia Gerber en su primera gala Chanel (*véase* derecha), salieron una serie de conjuntos de *tweed* reluciente confeccionados con hilos iridiscentes y muchas veces rematados con largos flecos para crear movimiento.

Luego vino «una corriente de azules [...] vaquero de un azul lago con un vinilo azul cristalino, un *tweed* azul turquesa combinado con chifón de seda en el que se difuminaban unos tonos de azul y blanco», y, finalmente, un «minivestido blanco» bordado evocó la textura de piedras y rocas (*véase* pág. 669, inferior derecha).

«Ninguna de estas telas las puedes comprar en otro lugar», subrayó Lagerfeld. «Todas están hechas por Chanel, en la propia empresa». La prensa lo supo apreciar. «El intricado equilibrio entre las texturas de aspecto natural y las avanzadas aptitudes técnicas era tan increíblemente dinámico que era un placer contemplarlo», anunció Sarah Mower, de *Vogue*.

A LA ORILLA DEL ELBA

Después del alto cosmopolitanismo del Ritz
de París (*véase* pág. 646), Karl Lagerfeld decidió
regresar hasta su lugar de nacimiento, la ciudad
portuaria alemana de Hamburgo, para presentar
la nueva colección de *métiers d'art* de la firma.
El auditorio Elbphilharmonie, construido con
una tecnología de vanguardia y diseñado por
el estudio de arquitectura suizo Herzog & de
Meuron a la orilla del río Elba, en la antigua
zona portuaria de Hamburgo, fue elegido como
lugar para la gala.

En homenaje a los talleres *métiers d'art* de
Chanel, la colección pretendía interpretar el
guardarropa de la tripulación de un buque y
los códigos de la ciudad a través de un filtro
de Chanel, desde los lujosos motivos de trenzas
retorcidas que recordaban los cabos de un
barco, bordados por la Maison Lesage (*véase*
pág. 672, inferior izquierda), hasta las gorras
de marinero de la Maison Michel, los jerséis de
marinero a rayas adornados con plumas, los
pétalos de camelia en forma de hélices, los puños
adornados con anclas, y los bolsos *clutch* que
semejaban contenedores marítimos.

«Hamburgo ha sido siempre una ciudad discreta,
no una de alfombra roja», observó Lagerfeld.
«Cuando era pequeño, iba al colegio con los
hijos de patrones de barco, y veníamos aquí
a jugar en las embarcaciones, así que todo esto
me resulta muy familiar». «Me gusta Hamburgo
como idea, algo que está en el fondo de mi
mente», añadió. «Forma parte de mi ADN,
de mi legado espiritual, por así decirlo».

«FANTASÍA FRANCESA»

«Después de la mirada más rigurosa en Hamburgo [*véase* pág. 670], quería lo contrario. Quería la fantasía francesa y la levedad francesa», explicó Karl Lagerfeld. «De lo duro a lo dulce».

Las flores y la luz, los tonos propios de la primavera predominaban en la colección, desde los verdes boscosos hasta una variedad de colores rosa: rosas pastel, corales pálidos y pinceladas de fucsia intenso.

Haciendo gala de las destrezas de los talleres de alta costura de Chanel, la colección mostró tanto elaborados adornos (desde brocados de perlas y bordados de diamantes de imitación hasta plisados e intrincadas labores con plumas) como técnicas de construcción «diabólicas», como, por ejemplo, el nuevo «hombro facetado» (un sistema de múltiples costuras que creaba una forma redondeada sin un relleno importante) concebido para el traje Chanel y reducidos «bolsillos sonrientes» en chaquetas, vestidos, túnicas y monos.

En un guiño a la composición del jardín francés del siglo XVIII, el vestido con enaguas de color rosa claro (con mangas *babydoll* abullonadas de plumas) que lucía Kaia Gerber (*véase* pág. 677, superior) se movía al ritmo de sus pasos, seguido por unos grandes y renovados corsés bordados en vestidos de tablas (*véase* pág. 678, derecha); sin embargo, el romanticismo se atenuaba con una sencillez masculina de principio a fin, desde las botas planas hasta el clásico vestido nupcial blanco, conjuntados con un chaleco de vestir y un pantalón alto (*véase* pág. 679).

«Es un aire romántico», dijo Lagerfeld. «Nunca pensé que algún día quisiera crear una colección romántica. Pero al final acabé haciéndola... Pretende ser bellamente "francesa". No soy francés, y es mejor que un forastero cree algo muy francés porque no parece algo patriótico. Se trata, simplemente, de estética francesa».

HOJAS CAÍDAS

«Me encantan los bosques en otoño, todos esos colores marrones y dorados... Creo que es muy hermoso», reflexionó Karl Lagerfeld al presentar una colección muy personal de inspiración nórdica. «Ahora sé que no soy un ser del sur. Soy alguien del norte. Cuando era joven, no me di cuenta. Ahora soy muy consciente de ello... Lo que han visto es lo que me gusta; no he procurado que fuera algo comercial».

«En cierto modo, me recuerda mi infancia», señaló, «porque la casa donde viví durante ocho años de mi infancia (me fui cuando tenía 14 o 15 años) estaba en el centro de un bosque, con senderos que iban a la casa, y se parecían a esto. Pero lo cierto es que no me di cuenta hasta un tiempo después. Dice mucho de mí, es mi gusto, mi experiencia, pero al mismo tiempo es muy Chanel».

Se presentaron 81 modelos de tonos terrosos inspirados en la naturaleza, animados por estampados de vegetación, trenzas a modo de ramas, botones decorativos labrados con hojas y manchas de rojos y rosas vivos en guantes, cuellos o bufandas.

La línea de los abrigos, chaquetas y vestidos era alargada y sobria, con un terciopelo negro estriado e iridiscente en abrigos largos y rectos o cruzados con hombros cuadrados, a juego con zapatos bajos de cuero o botas doradas hasta el muslo.

«Me encanta el veranillo de San Martín», añadió Lagerfeld. «El otoño siempre ha sido mi estación favorita».

TODOS A BORDO DE LA PAUSA

Después de hacer parada en la ciudad portuaria de Hamburgo (*véase* pág. 670), Chanel trasladó el tema naval a París mediante la construcción de un transatlántico de unos 100 metros de largo en el centro del Grand Palais.

Bautizado con el nombre de La Pausa, en honor a la villa situada en el sur de Francia que Gabrielle Chanel mandó construir en 1929 durante su idilio con el duque de Westminster, el buque se convirtió en un motivo gráfico de inspiración vorticista estampado en los bolsos en bandolera de vinilo (*véase* pág. siguiente) y los *beach pyjamas* chics.

Haciéndose eco del estilo crucero de las décadas de 1920 y 1930, la colección «giraba alrededor de lo que [Karl Lagerfeld] llamaba el "vestido flexible", un diseño que consistía en un top aparte y una falda que revelaba una mínima parte del *midriff*», relató *Women's Wear Daily*, e incluía «una versión de noche [que] contrastaba con las rayas de marinero bordadas con gruesos cúmulos de lentejuelas confeti en la cintura y las mangas».

Al final del desfile, Karl Lagerfeld salió a saludar con la que era desde hacía tiempo la directora del estudio de moda, Virginie Viard, y, luego, los invitados embarcaron en La Pausa para acudir a una fiesta privada.

EL NUEVO «ALTO PERFIL»

Celebrada en un marco que recreaba el Instituto de Francia (sede de la Academia Francesa) y a los famosos *bouquinistes* de París (vendedores de libros y revistas usados y antiguos) en las orillas del Sena, la nueva colección era una carta de amor a la capital francesa. «La [alta] costura tiene que estar en París, donde los colores son de lo más hermosos y reflectantes», le dijo Karl Lagerfeld (prolífico coleccionista de libros) a Suzy Menkes.

El diseñador recuperó la idea de la línea de «alto perfil» (*véase* pág. 402), una línea que «se estructuraba en cremalleras con un adorno trenzado que encontramos en los emblemáticos trajes de *tweed* y los vestidos de noche de la firma, unas mangas estrechas que se abren con forros que contrastan por encima de largos guantes de piel sin dedos de Causse o faldas y vestidos que dejan al descubierto minifaldas bordadas», manifestó Chanel. «Puedes abrir o cerrar las mangas por los lados», explicó Lagerfeld. «También puedes descoser la falda de modo que la pierna parezca más bonita de perfil. Las piernas parecen interminables».

Conservando el espíritu literario francés del desfile, la novia (la modelo Adut Akech) lució una chaqueta estilo redingote de color verde claro bordada con hojas de olivo y con un adorno trenzado hecho de abalorios de rocalla (*véase* pág. 691, superior e inferior derecha), una alusión al vestido formal que llevaban los miembros de la Academia Francesa.

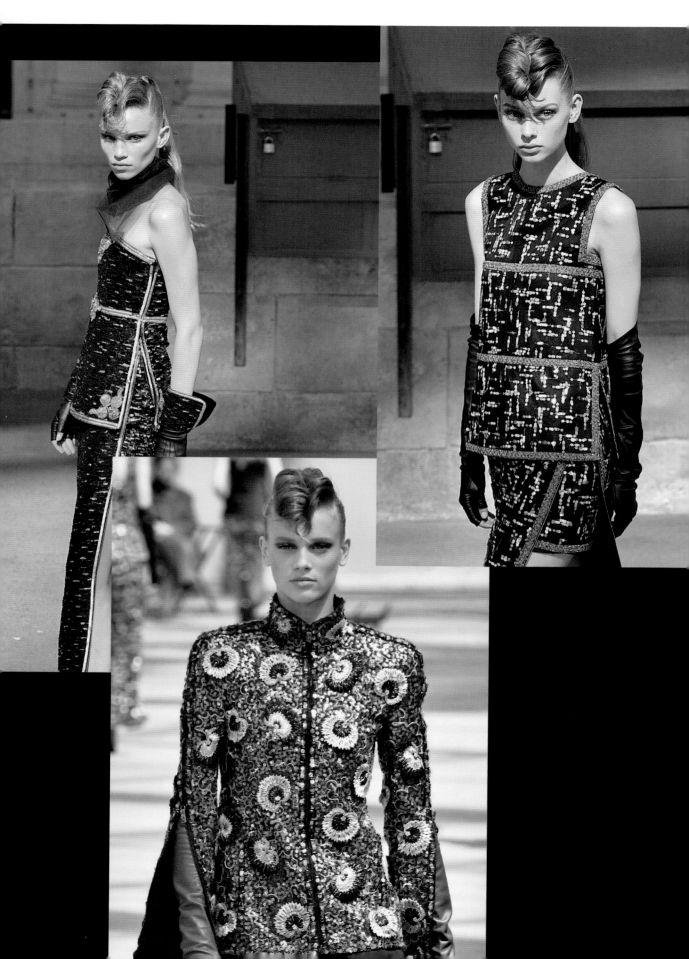

«CHANEL POR MAR»

Siguiendo con la inspiración en el agua y la costa,
Karl Lagerfeld imaginó una playa de arena que
se extendía bajo un brillante cielo azul, animado
con el vaivén de las olas. «Es la playa de uno
de mis lugares preferidos; allí no ocurre nada,
no hay barcos porque el mar está demasiado
agitado», explicó Lagerfeld, en alusión a las playas
de Sylt, la isla más septentrional de Alemania.

«Iba allí de pequeño, y volví en una ocasión
para una campaña [*prêt-à-porter* otoño/invierno
1995-1996] con Claudia Schiffer y Shalom
Harlow», continuó. «Es el lugar menos
contaminado de la Tierra, situado en mitad
del mar del Norte. En mi infancia, tenías que
coger unos pequeños botes de pesca para poder
ir. Pero el mismo paisaje cambia cada día. Las
dunas se mueven con el viento».

La modelo Luna Bijl (*véase* derecha) abrió la
colección con un traje de *tweed* bordado con
lentejuelas con un par de bolsos cruzados en
bandolera a la altura de la cadera: las nuevas
«bolsas laterales», como las bautizó la firma;
«también se pueden combinar versiones en
pequeño o en grande, con o sin chinelas».

Con complementos «CHA-NEL», sombreros
de ala ancha o gorros de doble visera de paja, en
la colección predominaban los tonos luminosos
y arenosos. «Las minifaldas están bordadas con
unos diminutos abalorios nacarados y dorados,
como granos de arena diseminados, con neceseres
de paja natural a juego», comentó la firma.

Alegre y jovial, la colección «observó a Chanel
a través de la lente entusiasta de una chica a quien
le encanta robar las chaquetas extragrandes de
tweed de los ochenta de su madre, y también
los trajes, los suéteres cortos de cachemira y los
bolsos acolchados con cadena», escribió Sarah
Mower, de *Vogue*. «¿Quieren *athleisure* y la recién
llegada tendencia en mallas y pantalón corto
de ciclista o submarinista? ¡Ajá! Karl Lagerfeld
aproximó Chanel por primera vez al surf en 1991
[*véase* pág. 122] con su colección de submarinismo
y *tweed*. Sí, se merece una ola».

EGIPTOMANÍA

Presentada en el gran salón del templo de
Dendur en el Museo Metropolitano de Arte de
Nueva York, esta nueva colección *métiers d'art*
«París-Nueva York» (*véase* pág. 368) pretendía
«renovar los códigos de la firma con referencias
al antiguo Egipto y al espíritu de Nueva York»,
manifestó la casa de Chanel.

Suzy Menkes señaló otras alusiones al «Grupo
de Memphis, cuyo mobiliario el diseñador
recopiló en la década de 1980», y a «una época
en la que el descubrimiento de la tumba de
Tutankamón en la década de 1920 desencadenó
una ola de egiptomanía, que dejó una profunda
huella en las artes y en la arquitectura de
Manhattan, con ejemplos como el edificio
Chrysler y otros rascacielos *art déco*».

Karl Lagerfeld recurrió a las habilidades de los
artesanos de los *métiers d'art* de Chanel para
crear unas obras únicas, desde el calzado dorado
de Massaro que complementaba todos los
conjuntos (incluidas unas botas de piel dorada
repujada con un tacón con joyas engastadas,
obra del diseñador de joyas Desrues y el orfebre
Goossens; *véase* pág. siguiente, inferior izquierda),
hasta los *tweeds* de confección fabricados en
telares manuales que se entrelazaban con cintas
doradas pintadas a mano, y unos deslumbrantes
adornos bordados que incorporaban piedras de
Goossens a modo de ribetes y ornamentos en
correas, corpiños, petos y hombros.

El taller parisino de Lognon creó unos delicados
pliegues en acordeón de tul y organza negros
para conferir más movimiento a las mangas y
faldas de varias siluetas (*véase* pág. 700, inferior
derecha), y los largos y gráficos vestidos de
noche que cerraron la colección mostraban una
intricada marquetería de plumas en azul, rojo
y dorado, a cargo de la Maison Lemarié (*véase*
pág. 701, superior derecha).

«Los efectos del caimán y la pitón en esta
colección eran también *trompe l'oeil*», relató Sarah
Mower, de *Vogue*. «Ahora se crean a partir de piel
grabada o incluso de discos destellantes en forma
de platillos; Chanel anunció la víspera del desfile
que la firma ya no trabajará con pieles de
cocodrilo, reptil exótico o raya venenosa».

«VILLA CHANEL»

Presentada en el marco de una villa italiana
ideal («es lujo, sereno y calmado», manifestó
Karl Lagerfeld a *Women's Wear Daily* el día
antes del desfile), la colección era una mirada
retrospectiva al siglo XVIII, la época de la historia
preferida del diseñador.

Lagerfeld se inspiró especialmente en la reciente
exposición «*La Fabrique du luxe: Les marchands
merciers parisiens au XVIII siècle*», en el Museo
Cognacq-Jay de París, que se centraba en
«los comerciantes parisinos que abastecían a los
ricos del siglo XVIII con bienes preciados de todo
tipo, desde cintas de seda hasta marcos de cuadro
dorados o suntuosos muebles», manifestó Hamish
Bowles, de *Vogue*. «La influyente amante del rey
Luis XV, Madame de Pompadour [...] depués de
ver la obra exquisita de la fábrica alemana Meissen
[...] recopiló las piezas de porcelana francesa en
Vincennes para crear unas flores similares de modo
que sus espléndidas casas y cenas se pudieran
proveer de su apreciada flora en los meses de
invierno, cuando los jardines estaban deslucidos».

Estas flores se apreciaban en toda la colección,
desde motivos florales pintados a mano en
organza, hasta flores de cerámica en vestidos
de tonos pastel (*véase* pág. 704), e incluso flores
reales impregnadas con resina «para conservar
la más hermosa», señaló *Women's Wear Daily* con
aprobación, y concluyó que «Lagerfeld defendió
enérgicamente adherirse a la alegría, el gozo de
la belleza, de la naturaleza (aunque sea solo
naturaleza de mentira)». La paradoja de la sustancia
con la levedad es una verdadera prueba de la
destreza de un costurero», afirmó Tim Blanks.

No obstante, el diseñador se ausentó al final
del desfile porque se sentía cansado, y le pidió a
Virginie Viard, directora del estudio creativo de la
firma, que saliera a saludar junto con la reluciente
novia que cerró la colección, engalanada con un
traje de baño plateado profusamente bordado
y un gorro (*véase* pág. 705, superior).

«CHALET GARDENIA»

Las nieves de un tranquilo pueblo alpino saludaron a los invitados a la presentación de la última colección que Karl Lagerfeld creó junto con Virginie Viard, su mano derecha y sucesora. «Un remanso cercado por la nieve, un trozo del cielo de Chanel, visto desde una distancia que era extremadamente difícil de soportar», comentó *Vogue*.

Celebrada unas semanas después de que Lagerfeld falleciera, en febrero de 2019, la gala estuvo precedida de un minuto de silencio, y luego se proyectó una entrevista grabada en la que el diseñador recordaba el momento en que se le propuso quedarse con la casa, cuando únicamente su fascinación por el personaje de Gabrielle Chanel y la pasión que le despertaba un desafío («todo el mundo me decía "no lo hagas, jamás funcionará"») lo llevaron a aceptar, lo que abrió un nuevo capítulo en la historia de la moda.

Con el blanco, el negro y el gris como tonos predominantes, la colección mostró siluetas que lucían desde alargados abrigos y trajes de *tweed* hasta capas que fluían y mullidos vestidos de plumas al estilo «bola de nieve» (*véase* pág. 711, superior).

«La última salida de Lagerfeld fue [...] emotiva, sin ser nostálgica ni sentimental. Era invernal, sin ser fría», manifestó Jo Ellison para *Financial Times*. «En una gala que era sombría pero serena, la asimilación de lo etéreo y lo substancial, de la elegancia que planeaba y el deleite irreprimible, la despedida al inmenso talento de Karl Lagerfeld se formuló tal como él había imaginado», afirmó Sarah Mower, de *Vogue*.

Los invitados se pusieron en pie para dedicar una gran ovación al final de la gala, mientras las modelos, desde Cara Delevingne hasta la actriz Penélope Cruz, desfilaban al son de «Heroes», de David Bowie. «Era comprensible que muchas de las modelos se emocionaran en los instantes finales», escribió Jo-Ann Furniss, «modelos como Mariacarla Boscono, que conocía a Karl desde que era una adolescente, y como muchas otras que trabajaban bajo su tutela, alentadas a ser ellas mismas».

«Algo terminó mientras otra cosa empezaba el 5 de marzo», añadió Furniss. «Además de entender todo el alcance de la historia, Karl Lagerfeld solía mirar hacia adelante. Este desfile era tanto de Virginie Viard como de Karl Lagerfeld; ella mantiene un ritmo, pero toca su propia melodía».

«El ritmo continúa», reza la inscripción en un boceto realizado por Karl Lagerfeld –de él y de Gabrielle Chanel, uno al lado del otro, mirando en la misma dirección– que se colocó en cada silla.

VIRGINIE VIARD: UNA BREVE BIOGRAFÍA

Por Patrick Mauriès

Nacida en el seno de una familia de fabricantes de seda de Lyon en el año 1962, todo parecía indicar que Virginie Viard trabajaría en la industria de la moda. «No sabía exactamente qué quería hacer», confesó a *Vogue Australia*, «pero lo que sabía era que estaría relacionado con el mundo de la moda, porque siempre me ha apasionado la ropa. En mi familia, había muchas mujeres a quienes les apasionaba la ropa». De entre ellas, conviene destacar la madre de Viard, su primer modelo a seguir, que iba vestida de Sonia Rykiel y Chloé, unas prestigiosas marcas del *boom* del *prêt-à-porter* de esa época.

Fue por un contacto familiar que Virginie Viard conoció a Karl Lagerfeld, en 1987. Le sugirió que se uniera a Chanel como persona de enlace con los talleres *métiers d'art*, antes de invitarla a ir con él a Chloé en 1992; entonces, Lagerfeld regresó a la firma que había llevado hasta el éxito hacía dos décadas y trabajó en ella varios años.

Después de estudiar la historia y la práctica del diseño de vestuario teatral, Virginie Viard trabajó como ayudante de la diseñadora de vestuario Dominique Borg en 1988 en la película de Bruno Nuytten *Camille Claudel*, protagonizada por Isabelle Adjani. Paralelamente a su cargo en Chloé, siguió trabajando en este campo diseñando trajes para dos películas de Krzysztof Kieślowski, *Tres colores: azul* (1993), por la que Juliette Binoche ganó un premio César, y *Tres colores: blanco* al año siguiente. Siempre sin pretensiones, acabó vistiendo a dos de las actrices francesas más importantes del momento.

Cuando el paréntesis en Chloé finalizó, Viard volvió a Chanel en 1997, esta vez como responsable de los estudios creativos. Ese fue el principio de una larga y fructífera colaboración con Karl Lagerfeld, ya que la joven diseñadora se encargaba de materializar los bocetos, conceptos y destellos de ingenio de Lagerfeld. Después de varios años de una relación excepcionalmente estrecha –Lagerfeld era conocido por su generosidad, pero también por ser implacable cuando no se satisfacían sus expectativas–, declaró, en una de las memorables citas que lo hicieron famoso, que Virginie Viard era su mano derecha... y también su izquierda.

Como una rutina de eficacia probada, se reunían con los equipos del estudio por la tarde, en la tercera planta de la calle Cambon, donde Viard trabajaba durante el día ejecutando diseños y eligiendo telas, antes de que llegara Lagerfeld con nuevos bocetos sobre las seis de la tarde, con lo que se reiniciaba el proceso: «Esta es la razón por la que podemos crear tantas colecciones», explicó Viard, «porque hacemos en un día el trabajo de dos».

Este insólito ejemplo de feliz colaboración duró más de veinte años. En un elegante gesto de reconocimiento, en todos los sentidos de la palabra, Karl Lagerfeld invitó a Virginie Viard a estar a su lado mientras presentaba lo que serían sus últimas colecciones. La aparición en solitario de Viard al final de la gala celebrada en enero de 2019 marcó no tanto una conclusión, sino el relevo de la antorcha; no el fin de una era, sino su reinvención. Desde entonces, ha trabajado de directora artística de alta costura, *prêt-à-porter* y complementos, asumiendo la misión de perpetuar y transformar el legado de Karl Lagerfeld, tal como él había hecho con el legado de Coco Chanel. La famosa máxima de *El gatopardo*, de Giuseppe Tomasi di Lampedusa –«Para que las cosas sigan igual, todo debe cambiar»–, no podría verse mejor reflejada que en la historia de la firma Chanel.

UNA INVITACIÓN A VIAJAR

La primera colección que creó Virginie Viard en solitario para Chanel, después de trabajar codo con codo con Karl Lagerfeld durante más de treinta años, marcó el inicio de un nuevo viaje para el sello. La presentación tuvo lugar en una imaginaria estación de tren *Beaux Arts* cruzada por vías de ferrocarril y salpicada de carteles que indicaban los lugares donde se habían presentado anteriores colecciones de Chanel: Venecia (*véase* pág. 446), Saint-Tropez (*véase* pág. 474), Edimburgo (*véase* pág. 532), entre muchos otros. Al organizar la gala en el Grand Palais, el marco tradicional para los desfiles de Chanel, Viard confirmó que a los viajeros se los invitaba no solo a mirar atrás, sino también adelante.

«La poderosa casa de Chanel es ahora un sello con un doble legado que lleva el ADN de Gabrielle "Coco" Chanel y de Karl Lagerfeld, unos gigantes de la moda que determinaron cómo las mujeres querían ir vestidas durante más de un siglo», escribió Hamish Bowles para *Vogue*, y Viard rindió homenaje a ambas figuras en su primera colección.

«Del mismo modo que el respetuoso conjunto con que se abrió el desfile [*véase* derecha] sugirió cómo la liberada joven Chanel podría vestir en 2020 –una sencilla chaqueta negra con unos pantalones de pernera ancha y los bajos cortos en su justa medida, una suave pero sencilla blusa blanca–, el aspecto final [*véase* pág. 718, inferior derecha] rindió homenaje al propio Lagerfeld en un vestido sin espalda con un rígido cuello eduardiano en sus distintivos blanco y negro», señaló Bowles.

Los prácticos trajes pantalón de gabardina o algodón tratado con cera, algunos con cinturones de cadena y blusas con volantes, se inspiraban en los uniformes de trabajo. El emblemático traje de *tweed* de Chanel se reinventó con unos brillantes colores y nuevas siluetas con dos, cuatro, seis u ocho bolsillos, con cinturón y combinado con medias, o bien llevado por encima de unos enormes lazos a modo de corpiños. Los elegantes vestidos de noche negros, algunos contrastados con unos cuellos berta de quita y pon de organdí blanco, cerraron la colección.

«[Virginie Viard] merece un reconocimiento por su elegante y discreta actitud y por haber devuelto un aire de feminidad a lo que fue la esencia del mundo de las mujeres fuertes de Chanel», concluyó Suzy Menkes para *Vogue*.

LA BIBLIOTECA

El Grand Palais se transformó en una gran
biblioteca circular con un salón chic para el
debut de la alta costura de Virginie Viard,
un guiño a la biblioteca del apartamento que
tenía Coco Chanel en la calle Cambon, y a la
librería Galignani de París, de la que el bibliófilo
Karl Lagerfeld era uno de los mejores clientes.
«Soñaba con una mujer con una elegancia
desenfadada y una silueta fluida y libre; todo lo
que me gusta del atractivo de Chanel», declaró
Viard.

Jugando con influencias masculinas, la colección
mostró, en primer lugar, una serie de abrigos
largos y rectos de *tweed* (*véase* derecha), seguidos
de unos boleros de colores vivos y unas chaquetas
bomber con los hombros y las mangas redondeados,
algunos de los cuales presentaban unos cuellos
blancos plisados ligeros y transparentes para
simular un libro abierto, en correspondencia con
la inspiración literaria de la colección (*véase* pág.
siguiente, inferior izquierda). Las gafas para leer
y los cuellos fruncidos eran los complementos
clave, y estos últimos estaban adornados con joyas
o confeccionados con gran cantidad de vitela
y otros refinados papeles de impresión.

«Sí, libresco [...] pero esta bibliotecaria tiene
un aspecto estupendo», informó Tim Blanks.
«El traje de Jacquard rosa fuerte de Kaia Gerber
[*véase* pág. siguiente, inferior derecha] iba
conjuntado con flores de origami; de nuevo,
papel transformado», añadió, antes de ensalzar
«un vestido de terciopelo negro con lazo, pechera,
cuello alto y puños blancos [*véase* pág. 723,
inferior] que transmitía la rigurosidad de la
apreciada Secesión de Viena, y la pureza de
estilo masculino de la inspiración de la propia
Chanel». «El debut en la costura [de Viard]
estaba impregnado de elegancia, contención
y una perspicacia de lo que el cliente de Chanel
espera», concluyó Blanks.

TEJADOS DE PARÍS

«Los tejados de París me recuerdan el ambiente
de la *Nouvelle Vague*», explicó Virginie Viard al
presentar su última colección en un decorado
que simulaba los tejados fabricados en zinc
típicamente parisinos. «He visto siluetas andando
por los tejados. He pensado en Kristen Stewart
dando vida a Jean Seberg y en todas las actrices
a las que Gabrielle Chanel vestía en esa época».

«El espíritu es joven y el ánimo, optimista, lleno
de esperanza para el futuro», escribió Susannah
Frankel. La silueta versaba sobre la facilidad
de movimiento, con el famoso traje de *tweed*
reconvertido en monos prácticos e irreverentes,
algunos de ellos con bolsos con cremallera de
tweed a juego que recordaban los estuches de las
colegialas, con el nombre de la firma escrito con
cadena intercalada con piel (*véase* pág. siguiente,
inferior derecha).

Vaporosas y ligeras, las faldas de cintura alta
se combinaban con sandalias planas, y de vez
en cuando con el sombrero de fieltro que había
confeccionado la Maison Michel. Con una actitud
de bailarina en mente, Viard también propuso
unos minúsculos pantalones cortos conjuntados
con tops de lentejuelas y mallas a modo de
pantalones ajustados negros. La colección
mostraba diversas variaciones de las mangas
globo, para las prendas de calle y para las de
noche, «hinchadas con incontables lazos y
volantes bordados con fibras de rafia y pétalos
de organza», explicó la firma.

«Viard conserva el aire juguetón de Chanel que
le confirió Coco, pero con una personificación
más a lo *garçon*», expuso Tim Blanks. Presentó
«su desglose práctico de un guardarropa de
Chanel para una mujer joven», concluyó
Sarah Mower, de *Vogue*. «Un práctico kit de
instrucciones de una chica contemporánea
basado en el legado de Coco Chanel».

VUELTA A CASA

Después de trabajar como enlace con los talleres
métiers d'art de Chanel durante los últimos treinta
años, Virginie Viard los tiene en gran estima.
Para su colección debut de *métiers d'art*, decidió
recordar el desfile inaugural de la firma del
año 2002, un evento íntimo que tuvo lugar en
los salones de la calle Cambon (*véase* pág. 316).
«Ese desfile me merece especial cariño», declaró
Viard. «Las modelos fumaban cigarrillos mientras
escuchaban a Lou Reed. Se trataba más de una
actitud que de un tema».

Lo concibió como homenaje a este desfile
memorable, y a la forma en que las colecciones
se solían presentar en la época de Gabrielle Chanel,
con las modelos desfilando por el salón de espejos,
a la vez que la costurera, situada en su emblemática
escalera, observaba la actitud del público. Viard
contó con la ayuda de la directora de cine
ganadora de un Oscar y becaria del estudio de
Chanel en su época adolescente Sofia Coppola para
crear una versión cinematográfica del número 31
de la calle Cambon en el interior del Grand Palais
(la doble C y el número 5 se pueden apreciar en la
enorme araña de luces). Respecto al momento en
que empieza a concebir una nueva colección, Viard
explicó: «Pienso en la escalera primero: imagino
a una chica que baja por ella. ¿Qué vestido lleva?
¿Y qué zapatos?».

Descrita por la diseñadora como «una vuelta al
abecé de Chanel», la colección hacía un guiño
tanto a los aspectos icónicos y menos conocidos
de la historia de la casa de moda, desde motivos
obtenidos con la técnica del *tie-dye* inspirados
en un traje de *tweed* rosa de 1960 con un forro
blanco, azul, rosa y malva, también obtenidos con
esta técnica, creado por Gabrielle Chanel (*véase*
página siguiente, inferior izquierda), hasta camelias
esculturales a modo de joyas confeccionadas por
Lemarié (*véase* pág. 730, inferior), y *minaudières*
en forma de jaula dorada (*véase* pág. 730, superior
derecha), una alusión a la jaula con un pajarito que
tenía *Mademoiselle* en el apartamento.

«Viard emplea la virtuosidad de los *fournisseurs*
con sutilidad para embellecer las prendas
que coquetean con la obra de Lagerfeld, pero que
son tan fáciles de llevar por naturaleza que se
aproximan más al espíritu de la propia Gabrielle
Chanel, y a una era en la que los desfiles de moda
presentaban un amplio abanico de opciones para
su variedad de clientes de distintas generaciones»,
manifestó Hamish Bowles para *Vogue*.

«He asimilado totalmente los códigos de Chanel»,
añadió Virginie Viard. «He visto hasta qué punto
Karl los modificaba. He crecido aquí. Soy hija
de Karl y Gabrielle».

AUBAZINE

Virginie Viard retrocedió en el tiempo y se centró
en la infancia de Gabrielle Chanel para su segunda
colección de alta costura; en concreto, en los años
que Chanel pasó en la antigua abadía cisterciense
de Aubazine, el convento donde su padre la
abandonó tras la muerte de su madre, para no
volver jamás.

Al poco de visitar la abadía y el jardín del claustro,
Viard cayó bajo su embrujo. «Lo que me gustó
enseguida del jardín del claustro es que estaba
sin cultivar», recordó Viard. «Era un lugar
muy soleado. Me evocó el verano, una brisa
perfumada de flores. Quería que los bordados
florales parecieran un herbario, quería unas flores
delicadas. Lo que me interesó de esta decoración
fue esa paradoja entre la sofisticación de la alta
costura y la sencillez de aquel sitio».

«También me gustó la idea de la interna, de
la estudiante, los trajes que llevaban las niñas
hace mucho tiempo», continuó Viard, un tema
del que se hizo eco en los conjuntos con que
abrió la colección, con botines con cordones
y calcetines como complementos y a juego con
medias blancas.

Sin embargo, con la pureza de la línea, la actitud
masculina y la gama de colores austera, distintivos
de Chanel, «Viard [...] entretejía la rebeldía [de
Gabrielle]», declaró Tim Blanks. «Había un
trasfondo adulto cómplice en la colección.
Gigi Hadid era una estrella en la severidad de su
largo vestido negro con el corte de mala profesora
[*véase* pág. siguiente, superior izquierda]».

La imaginación de la joven Gabrielle era
moldeada por varios elementos de la abadía, que
más tarde volverían a aparecer en su obra, según
declaró la firma: «el suelo pavimentado con
diferentes motivos como estrellas, las vidrieras de
colores y sus diseños geométricos entrelazados»,
por ejemplo, se traducían en collares berta
bordados (*véase* pág. siguiente, inferior izquierda
y derecha), así como un traje y un vestido
completamente bordado con lentejuelas de color
pastel mate (*véase* pág. 734, inferior izquierda).

La última parte de la colección poseía un aire
etéreo y romántico, que culminó con un vestido
nupcial corto de crepé *georgette*, a juego con un
velo bordado con ramas de glicina (*véase* pág. 735,
superior). «El velo iba sujeto al moño de la
novia», observó Tim Blanks. «Se lo podía quitar
si se le antojaba, incluso despachar a su prometido
con la misma celeridad. Eso destilaba a Coco en
toda su modernidad duradera, y Viard logró de
un modo convincente la impresionante hazaña
de transmitir su espíritu fascinante y complejo».

ROMÁNTICA

«Un ímpetu muy simple, muy puro. Romanticismo,
pero sin florituras. Emociones, pero sin volantes».
Estas, según declaró Virginie Viard, eran las
inspiraciones para su última colección. «Movimiento,
aire... Para el espectáculo, nada de decoración», sino
un suelo cubierto de espejos empañados por el que
desfilaron las modelos, dando vueltas libremente
a través de las curvas monocromáticas del pequeño
decorado.

Inspirada por los recientes descubrimientos de
las sedas que llevaba el jinete que montó el caballo
de carreras de Gabrielle Chanel, *Romántica*,
la colección evocaba un tema ecuestre con una
variedad de holgados pantalones de montar
(que se abrían por un lado con unos botones
de presión «para un gesto más gráfico», explicó
Viard) y, «de un modo más sutil, en tiras que
sugerían los brazaletes de satén de los colores de
la cuadra de un jinete, inseridas en las mangas
de una chaqueta o abrigo de *tweed*», expuso
Hamish Bowels para *Vogue*.

Viard también tomó prestadas de Karl Lagerfeld las
botas de siete leguas que calzaba en una fotografía
de la década de 1980 junto a Anna Piaggi, «ambos
vestidos al nivel de una distinción eduardiana
renovada [...] Lagerfeld [llevaba] una chaqueta
a rayas y cinturón propios de un traje de chaqué,
un fino pañuelo negro de seda, pantalones de
montar; una imagen que para Viard representa
"un acentuado romanticismo"», añadió Bowles.

«Los vestidos eran unas joyas poco comunes entre
la cornucopia de la confección, expresados en forma
de suntuosos terciopelos, relucientes tafetanes y
virtuoso *tweed*», escribió el periodista experto en
moda Dan Thawley. «Con su sobriedad dejaban
espacio para la fantasía en todas partes, como el
aljófar tono sobre tono que relucía sobre una
chaqueta festoneada de color blanco nieve sobre
un minipantalón corto delantal», que llevaban
como complementos las cruces bizantinas con joyas
engastadas por las que Viard apostó y que tanto le
gustaban a Gabrielle Chanel.

BIBLIOGRAFÍA

Para no interrumpir la lectura, hemos decidido no incluir referencias ni notas al pie en el cuerpo principal del texto.

A continuación, se citan las fuentes de las citas en la introducción y en las biografías de Karl Lagerfeld y Virginie Viard.

Alice Cavanagh, «Virginie Viard on her career with Karl Lagerfeld at Chanel and what makes a Chanel woman», *Vogue Australia*, 19 de febrero de 2019

John Colapinto, «In the Now», *The New Yorker*, 12 de marzo de 2007

Anabel Cutler, «Chanel after Coco», *In Style*, octubre de 2009

Jo Ellison, «King of Couture», *Financial Times*, 5 de julio de 2015

Susannah Frankel, «Still Crazy about Coco», *The Independent Magazine*, 22 de marzo de 2008

Kennedy Fraser, «The Impresario: Imperial Splendors», *Vogue US*, septiembre de 2004

Natasha Fraser-Cavassoni, «I Should Coco!», *The Times Luxx Magazine*, 14 de noviembre de 2009

Hadley Freeman, «Chanel», *10*, otoño de 2005
—, «The Man behind the Glasses», *Fashion Handbook*, 17 de septiembre de 2005

Tina Gaudoin, «Master and Commander», *The Times*, 5 de marzo de 2005

Nelly Kapriélian, «Le cuirassé Lagerfeld», *Vogue Paris*, octubre de 2007

Entrevista a Karl Lagerfeld, ID, *The Studio Issue*, marzo de 2004

Marie-Pierre Lannelongue, «L'extravagant mystère Karl», *Elle France*, 14 de febrero de 2015

Rebecca Lowthorpe, «The Man behind the Shades», *Elle UK*, marzo de 2012

Patrick Mauriès y Jean-Christophe Napias, *The World According to Karl*, Londres: Thames & Hudson, 2013

Daphne Merkin, «Alter Egos», *Elle US*, abril de 2003

Adélia Sabatini, «The House that Dreams Built», *Glass*, verano de 2010

CRÉDITOS DE LAS FOTOGRAFÍAS

AGRADECIMIENTOS

El autor y el editor quieren dar las gracias a Karl Lagerfeld,
Eric Pfrunder, Pauline Berry, Marie-Louise de Clermont-Tonnerre,
Laurence Delamare, Cécile Goddet-Dirles y Sarah Piettre por
su colaboración y apoyo en la elaboración de este libro.

También dan las gracias a Kerry Davis y Don Ashby, de firstVIEW,
y a Sean Tay por su ayuda en la investigación.

ÍNDICE SELECTO DE PRENDAS DE ROPA, COMPLEMENTOS Y MATERIALES

Los números de página se refieren a las fotografías.

PRENDAS DE ROPA

abrigos 22, 35, 209, 236–237,
250–251, 253, 264, 266,
269, 297, 323, 331, 334, 340,
360–361, 396, 398, 403,
405, 465, 482, 500–501, 513,
518–519, 537, 543–544, 551,
570–571, 572, 574, 582, 585,
589, 595, 604, 607, 614, 620,
632, 647, 680–683, 706–711,
720, 728, 738
  capas 49, 256, 269, 296,
  360–363, 467, 491, 537,
  556, 627, 644, 683, 708–
  710, 718 (inferior izquierda)
  cortos 116, 119, 156,
  176–177, 276
  de piel 131, 154
  de pieles o forrados de piel 135,
  189–190, 307, 454, 471, 479
  redingotes 48, 455
  trencas 45, 47, 51, 117, 207,
  717 (izquierda)

corsés 163, 167–169, 173, 181,
185, 187, 567–568, 573

lencería 643, 645

monos 189, 222, 260, 308, 407–
408, 557, 611, 676, 708, 710,
724–725

pantalones 37, 55, 87, 89, 156,
170–175, 188–189, 295, 297,
303, 336, 398, 475, 488–489,
495, 498, 500–501, 516–518,
576–579, 647, 654, 673, 682,
685, 738 (superior izquierda)
  cortos 107, 123, 146, 182, 214,
  216, 244, 295, 366–367, 583,
  585, 590, 656–657, 694, 738
  (superior derecha), 739
  de montar 231–233, 736–738
  de pernera ancha 56, 79, 92,
  163, 165, 197, 258–259, 263,
  348, 634–635, 660
  de piel 154–155, 183, 572
  de sastrería 49, 58, 85, 710, 711
  deportivos 34, 36, 293, 300–
  302, 570–571
  minishorts 215, 232, 246–247,
  259, 271, 279, 301, 339, 388,
  449, 475, 477, 522, 529, 726
  (superior)
  tejanos 174–175, 406–407, 564,
  695

punto 34, 36, 114–115, 176–177,
191, 207, 228, 237, 239, 249,
253, 267, 277, 293, 336, 349,
358–359, 378, 391, 397–399,
424–425, 433–435, 447, 485,
491–493, 516, 529, 533–534,
537, 545, 557, 565, 589, 591,
593, 603, 610, 631, 644, 654,
670–671, 683, 685

ropa deportiva 30–31, 34–35, 36,
154, 182, 232, 293, 300–302,
314, 566–567, 570–571

sujetadores 164–165, 180, 182,
217, 236

trajes de baño
  biquinis 200, 244, 246, 259,
  271, 314, 339, 400, 475
  de una pieza 246, 287, 324,
  389, 422–423, 446, 503,
  530, 558, 695, 705

trajes de noche 43, 47, 71, 74,
77, 82–83, 88, 113, 120–121,
134, 141, 144, 147, 168, 262,
268, 342–343, 354–355, 417,
424, 504, 581, 640 (izquierda),
652–653, 664, 678, 691, 704,
731

trajes pantalón 35, 37, 45, 70,
80, 84, 93, 102, 107, 224, 236,
238, 244, 251, 261, 334, 403,
513, 527, 586–587, 609, 616,
634–635, 651, 667–668, 671,
679, 685–686, 697, 716–717,
719, 722, 736

vestidos de novia 68, 167, 169,
213, 269, 275, 305 (superior),
321, 327, 343, 363, 375, 393,
427, 479 (inferior), 524–525,
555, 569, 581 (superior),
585 (superior), 600, 615
(superior), 628, 641 (superior),
653 (inferior), 665, 679, 705
(superior), 735

COMPLEMENTOS

bolsos 77–78, 142, 155, 170, 175,
    185, 189, 200–201, 215, 231,
    253, 307, 328–329, 339, 399,
    411, 431–432, 443, 458, 462–
    463, 471–472, 529, 544–545,
    557–561, 573–575, 577–578,
    586–591, 594, 603–605, 616–
    617, 631–632, 634, 636–637,
    643–644, 647, 655–656, 661,
    667–669, 670–671, 673, 684–
    686, 692–697, 700–701, 709;
    «2005» 259 (inferior), 271
        (superior izquierda), 279
        (superior derecha)
acolchado 41, 51, 52–53, 72,
    80–81, 124, 133, 137, 190,
    207, 271, 474, 575, 607, 619,
    692, 695, 696–697
«Boy» 513 (superior derecha),
    516, 603
cámara 621
carteras 457, 582–583, 585,
    591
cinturón 107, 624–627
«Círculo» 285, 287
clutches 408, 434, 473, 493,
    507, 509, 511, 519, 579, 591,
    604–605, 610–611, 619,
    635, 699, 725
cohete 655 (inferior izquierda)
compras 197 (superior), 215–
    216, 429
extragrande 115, 157, 530
fin de semana 636, 654, 668
«Girl» 586–587
jaula 730 (superior derecha)
led 643 (superior izquierda)
liga 136
maleta 616
minibaúles 203, 209
robot 643 (inferior derecha), 644
tobillero 408–409

gafas de sol 35, 53, 58, 79, 107,
    109, 123–125, 137, 145, 155–
    156, 162–164, 175, 183, 189,
    199, 201, 207–208, 215, 271,
    276–279, 285, 287, 293, 300,
    302, 339, 367, 387, 389, 400,
    402–405, 423, 449, 530, 549,
    558, 570, 573–575, 588–589,
    608, 617–619, 644–645, 655,
    666–667, 669, 695

guantes 27, 31–36, 43–46, 49,
    51, 53–54, 56–59, 64–70, 72,
    80–81, 84–85, 89–93, 96,
    104–105, 107, 109, 111, 115–117,
    123–124, 127–128, 132–133,
    137–138, 144, 148–150, 154,
    157, 170, 175, 201, 207, 209,
    285, 329, 336, 360, 368,
    510–511, 534, 537, 571, 630,
    700
hasta el codo 26, 71, 74, 89,
    151, 155, 185, 187, 235,
    270–271, 310, 313, 342,
    372, 381, 383–385, 390–
    391, 402–405, 460, 499,
    504, 545, 563, 584, 594,
    600–601, 632, 640, 655,
    664, 673, 683, 688–690
sin dedos 287, 291, 293,
    341–342, 361–362, 364,
    366, 380, 383–385, 394–
    395, 402–405, 411, 429,
    444, 455, 460, 467–469,
    486, 488, 492, 500–501,
    526–527, 538–539, 542,
    558–559, 598, 617–619,
    631, 638–640, 643, 645,
    655–657, 664, 667–669,
    674–677, 683, 687–690

joyas
anillos 102, 134, 169, 297–299,
    301, 340–342, 434, 442–445,
    472–473, 484, 559, 561
broches 81, 87, 89, 92, 99–100,
    102–103, 106, 117–119, 124,
    128–129, 146, 159–160, 196–
    201, 215–217, 221, 229, 255–
    256, 288, 298–299, 302–303,
    323–324, 351, 378, 388, 406,
    408, 411, 415, 435, 460–461,
    534–538, 608, 611, 643–645,
    647, 654–655, 672, 730, 738
collares 66, 101, 113, 134–135,
    138, 146, 153, 174, 179, 317,
    334–337, 358, 366, 386, 389,
    407, 435, 460–461, 463, 465,
    470, 474–475, 484, 486–487,
    490–493, 500, 510–513,
    521–523, 532–533, 536–537,
    542–543, 563–565, 576–579,
    593–594, 609–611, 635, 659,
    667–669, 682–683, 687, 693,
    695–700, 708–711, 730
    (superior izquierda), 739

cadena 255, 549, 636, 643–
    649, 659, 718 (inferior
    izquierda), 729 (inferior
    derecha)
colgante 54
cuerda 106, 109
diamante 234, 333, 612–613
gargantilla 110, 113, 134–135,
    144, 174, 178, 351, 633,
    646, 649 (izquierda)
perla 85–86, 100–101, 106,
    113, 128, 130–131, 138,
    153, 406–409, 534–538,
    662–665, 730 (inferior)
diademas 26, 88, 382–385, 414,
    488–493, 510–513, 536,
    576–579
diamante 234–235, 333,
    612–613
pendientes
    aro 67, 74–75, 77, 82–83,
        141, 165, 203, 392–395,
        620–621, 623
    diamante 234
    gemelo 50–53, 60–65, 70, 77,
        81, 115, 118, 123, 148,
        151–152, 157
    lágrima 49, 56, 65, 73, 79,
        93–94, 97, 102–106,
        111, 114, 116, 120–122,
        125–126, 138, 140, 145,
        306–307, 324, 329, 380–
        381, 460–462, 464–465,
        486, 515, 521, 564–565,
        575, 616, 644–645, 659,
        661, 666–669, 680–683,
        693–696, 699–701, 703–
        704, 709–710, 716–717, 726
    perla 51, 60, 100–101, 110–
        111, 113, 122, 130–131,
        133, 157, 160, 165, 171–173,
        213, 248–249, 256, 276–
        277, 285–291, 297–299,
        302, 321, 323, 407, 485,
        526, 528–529, 556, 559,
        561, 616–619, 631–633,
        646–649, 654, 736
pulseras 42–43, 46–47, 53,
    57, 59, 87, 94, 97, 106–107,
    109, 111, 113–114, 118, 122–
    123, 127–128, 132–135, 141–
    142, 144–145, 147, 153, 162,
    174–175, 200, 202, 215, 227,
    233, 253, 339, 350, 354, 381,
    398, 408, 456–457, 460–461,

464, 475, 478–483, 486–487,
489–493, 510–513, 516–517,
519, 521–523, 544–545, 549,
576–579, 588–591, 594,
610–611, 617–619, 635–636,
643–645, 658–661, 668–669,
671–673, 683, 685–689, 699–
701, 709, 727
  brazaletes 270, 273, 328–329,
  386–389, 396, 400, 447–
  450, 472–473, 557, 559, 636
  colgante 28, 40–41, 51, 59, 129,
  131, 133–134, 149, 173, 200,
  292, 317, 333, 339, 347, 370–
  371, 400, 410, 444, 645,
  649, 736 (izquierda), 737
  (inferior derecha)
  con abalorios 115, 122–123,
  125, 131, 160, 247, 307, 309,
  315, 318–321, 328–331, 348,
  370, 396, 423, 447
  diamante 234–235, 333,
  612–613
  perla 82, 127, 150, 205, 207,
  527–529, 619, 725
  tobilleras 406, 650, 652

medias
  bordadas 373, 454–455
  con dibujos 201, 277, 286, 306–
  307, 419, 421, 429, 431, 456–
  459, 533–534, 537, 620–623,
  655–656, 680–683, 736–739

pañuelos 36–37, 85, 89, 97, 101,
  108, 115, 119, 132, 141, 159, 160,
  176, 180, 189, 277, 281, 293, 335,
  336, 398, 447–449, 537, 557,
  562, 565, 574, 589, 630–631, 649
  (inferior derecha), 708, 711

parasoles 78, 92, 486

sombreros 28, 30, 36, 44–46,
  54–58, 62, 65–66, 68–69, 80–81,
  84–85, 89, 92, 108–109, 119, 128,
  137, 140, 149–150, 153, 158–161,
  180–181, 199, 279, 302, 317, 332,
  462, 464–465, 550–551, 555,
  593, 595, 630–633, 650, 662–
  665, 699, 708, 711, 729 (inferior
  derecha)
  boinas 31, 37, 43, 45, 90–91,
  107, 109, 115, 132, 246, 537,
  637, 685–687

bombín 369, 371
canotier 27, 33, 41, 91, 107,
  109, 210, 318–319, 321,
  411, 442, 445, 504–505,
  532, 666–669, 725 (superior)
cardenal 350–351
casco 642
casquete 251–253, 325, 455
casquetes 248–249, 260–261,
  326–327, 402, 405
con velo 31–33, 70, 111–112,
  235, 240, 288–291, 368,
  600
de ala ancha 64, 66, 70,
  75–79, 81, 95–96, 116, 148,
  159, 203, 205, 230–233,
  235, 274, 521, 527, 596,
  598, 600–601, 687
gorros 49, 98–99, 130, 133,
  170–171, 339, 419, 432,
  434–435, 462, 534, 537,
  580, 582, 585, 644–645,
  670–673, 693–695
gorros de montar 630–633
jaula 185–187
kokoshnik, tocados 432,
  436–437
paja 78–79, 107, 142,
  520–521, 598, 693–695
panamá 634, 636–637
papel 438–441
pequeño adorno 115
piel 28, 135, 175, 189–191,
  194, 433, 544
plástico 138, 527, 666–669
pluma 139, 161, 193–194,
  230, 232, 235, 434, 593
Stetson 562–565
tricornio 48, 446
turbantes 63, 164–165

tirantes 181–182, 230

velos 31–33, 68, 82, 88, 108–109,
  111–112, 167, 213, 218–219,
  235, 240, 243, 252, 286–291,
  330, 392–395, 504–505,
  597–599, 647–649, 672–679,
  691, 705, 735 (inferior)

zapatos
  abiertos en la punta 317, 331,
  406, 408–409, 447, 538,
  541
  alpargatas 197, 549

bicolor
  botas 224, 356, 365, 367, 372,
  374–378, 396–397, 556–560,
  654–657, 666–669, 717,
  718 (inferior izquierda)
  chinelas 620–622
  tacones de cuña 624–625,
  628–629
  zapatos planos 30–31, 40,
  61, 77, 96, 107, 143, 164,
  166, 180, 222, 315, 328,
  364, 366, 414, 602–607,
  716, 718 (inferior derecha),
  720–723
  botas 372–375, 435
  498–501, 511, 513, 534,
  536, 545, 630–633, 654–657,
  698, 700, 736–739
  bicolor véase bicolor, botas
  calcetín 349, 556, 558–560,
  598–599, 675, 677–678
  de piel 435, 471–472, 709
  hasta el muslo 119–121, 327,
  356, 376–378, 382–383,
  385, 434, 464–465, 538,
  542–545, 554, 666, 670
  hasta la rodilla 175, 264, 277,
  280–283, 307, 397, 575,
  586, 589, 590, 592, 594,
  669, 682–683
  para andar 177–179, 498
  para esquiar 171, 323, 709
  tobilleras 128, 267, 277,
  323, 365, 367, 396, 398,
  448, 467, 479–483,
  508–509, 662–665, 688,
  701, 717
  vaqueras 174, 562–565
  brogues 207–208, 246, 334–337,
  588, 591, 634–635, 647, 649,
  680–681
  chinelas 702–703
  de encaje 286, 294–295,
  318–321, 509, 527, 617–619,
  661 (izquierda), 711, 735
  (superior)
  de salón 350–355, 390–395,
  501, 650–652, 728–731
  Mary Janes 419–421, 649, 685–
  686, 718 (superior izquierda)
  mocasines 410–411
  plataforma 149, 164, 386, 389,
  429, 431, 434, 437, 442–443,
  485–486, 523
  patines sobre ruedas 182

sandalias 254–259, 475, 488–492, 503, 512, 576–579, 636, 693–697
chanclas 580–585
de gladiador 380–381, 474, 659–660
zapatillas deportivas 30–31, 36, 173, 232, 293, 300–302, 523, 566–569, 570–572, 575
zapatos de tacón con el talón descubierto 602–607
tacones de cuña 160, 386, 389, 624–625
T-bar 77, 93, 205, 220, 246–247, 272–274, 309, 325, 331, 348, 371, 517–518
zapatillas de bailarina 47, 289–290, 339, 414–417, 494–497, 699–701
zuecos 456–459, 587, 589

MATERIALES Y ADORNOS

cuadros escoceses 32, 35, 44, 56, 58, 62, 69, 84–85, 104, 181, 187, 334, 345, 396–397, 534, 537, 607, 616–617, 631, 662, 666, 669, 671, 706–708, 722, 724–725, 732

estampados
emblemas de Chanel 165, 198, 214–217, 286–287, 307
florales 67, 78, 231, 270, 287, 459, 486, 576–577, 586–589

perlas 95, 108, 127, 130–131, 183, 204–205, 433, 479, 506–513, 515, 526–531, 535, 559, 561, 605, 608, 632–633
collar véanse Complementos, collar, perla

piel 42, 53, 61, 120, 131, 134–135, 149-152, 154–157, 160, 173, 175, 183, 231, 300–301, 323, 326, 366, 377, 470, 526, 549, 572, 606, 620, 622, 632 (superior izquierda), 666 (superior), 681, 688

pieles 28, 135, 175, 189–191, 193–194, 293, 296, 327, 433, 454, 470–473, 511, 544, 683, 710

pliegues 100–101, 115, 128–129, 169, 254, 294, 304–305, 352, 424–427, 435, 508, 537, 563, 594, 599, 609, 626, 660–661, 678, 700

plumas 74, 139, 149–150, 153, 160–161, 184–185, 187, 193–194, 203, 212, 220, 230, 232, 235, 242, 275, 340, 361–363, 373–375, 393, 395, 402–405, 434, 504-505, 515– 516, 518, 524–525, 535, 538–541, 548, 562–564, 568–569, 581, 594, 622–623, 634–635, 637, 641, 652–653, 662–665, 673, 675, 677, 679, 691, 701 (superior derecha), 704, 710–711, 739 (inferior)

rayas 41, 64, 66, 78, 115, 125, 129, 142, 203, 293, 316, 358–359, 391, 398, 400, 404, 407, 434, 447, 449, 487–488, 560, 563, 590–591, 672–673, 685, 687, 701

terciopelo 85–87, 89, 116, 118, 138, 171, 174, 214, 216, 223, 299, 347, 489–490, 613, 673, 691, 723

vaquero 30–31, 66–67, 132–133, 174–175, 182, 215–217, 366, 383, 406–407, 420, 520, 522–523, 564–565, 695

ÍNDICE DE MODELOS

Los números de página se refieren a las fotografías.

A

Aas, Kätlin 527 (inferior izquierda)

Abels, Roos 652 (izquierda)

Agren, Sigrid 454 (inferior), 473 (derecha), 490 (superior izquierda), 511 (superior izquierda), 513 (inferior izquierda), 530, 534 (derecha), 580 (inferior derecha)

Ahrens, Sophia 619 (izquierda)

Aighewi, Adesuwa 683 (superior derecha), 685 (superior izquierda), 699 (izquierda)

Akech, Adut 691 (superior e inferior derecha), 698, 704 (derecha), 711 (superior, derecha), 735 (superior derecha)

Ali, Alyssah 511 (inferior izquierda), 512 (inferior)

Allen, Lily 458 (derecha)

Aoki, Devon 262 (centro), 269 (izquierda), 272, 275 (izquierda), 281 (inferior izquierda), 283 (derecha), 289 (superior derecha), 292

Argañaraz, Mica 619 (superior derecha), 624, 630, 676 (derecha)

Arrington, Alanna 643 (inferior izquierda)

Arruda, Emm 700 (izquierda)

Asset, Justine 668 (derecha)

Atkinson, Claire 77 (derecha)

Auermann, Nadja 145 (derecha), 155 (inferior derecha), 173 (inferior derecha), 203 (derecha), 256 (centro), 263 (inferior derecha), 330, 344 (derecha), 345 (inferior izquierda)

B

Bafort, Delfine 310

Bagley, Lorri 123 (superior izquierda)

Baines, Jemma 535 (superior izquierda)

Bair, Molly 595 (derecha), 600, 609 (izquierda), 625 (inferior izquierda), 647 (superior izquierda)

Balfe, Caitriona 311 (derecha)

Balti, Bianca 366 (superior centro)

Barsukova, Anna 402 (superior derecha)

Barth-Jörgensen, Dorothea 495 (inferior), 535 (superior derecha)

Bayle, Anna 38 (superior derecha)

Beha Erichsen, Freja 356 (inferior derecha), 380, 383 (derecha), 387 (derecha), 393 (derecha), 399 (superior izquierda), 440 (inferior), 455 (superior izquierda), 471 (inferior izquierda), 475 (izquierda), 489, 495 (superior izquierda), 497 (izquierda), 500 (derecha), 501 (derecha)

Behennah, Michelle 223 (superior izquierda)

Belova, Natalia 351 (derecha)

Beltrame, Mariana 644 (inferior derecha)

Berman, Bonnie 30 (inferior derecha)

Berntz, Moira 734 (superior derecha)

Berzina, Eva 622 (izquierda)

Bevanda, Yvonne 622

Bijl, Luna 679, 692 (delante), 711 (superior izquierda)

Bijnen, Laurijn 709 (inferior derecha)

Binaris, Alex 659 (superior derecha), 667 (superior derecha)

Blázquez, Guadalupe 635 (inferior derecha)

Blomqvist, Sara 420 (superior derecha), 483, 491 (inferior), 501 (izquierda), 525 (superior derecha), 536

Bochert, Jamie 588 (extremo, derecha), 648 (superior)

Bogucharskaia, Kate 538

Boling, Lexi 572 (izquierda), 614 (inferior), 664 (superior izquierda)

Boscono, Mariacarla 300, 301 (izquierda), 303 (izquierda), 313 (izquierda), 315 (derecha), 323 (superior derecha), 327 (inferior izquierda), 328, 337 (izquierda), 417 (izquierda)

Bospertus (du), Nadège *véase* du Bospertus, Nadège

Bradley, Maria 523 (derecha)

Brannon, Sarah 625 (inferior derecha), 645 (inferior derecha)

Brasch Nielsen, Caroline 527 (derecha), 532 (superior derecha) 539 (superior derecha), 543 (izquierda), 565 (derecha), 582 (inferior izquierda)

Brauw (de), Saskia *véase* de Brauw, Saskia

Brechbiel, Brandi 360

Brismar Lind, Isabel 382

Bündchen, Gisele 258

Burley, Jessica 602

Butane, Inguna 435 (superior derecha)

C

Callado, Dalma 40, 49 (izquierda), 73 (superior izquierda), 112 (izquierda)

Campbell, Edie 513 (superior izquierda), 537 (inferior izquierda), 616, 619 (inferior derecha), 629 (superior derecha), 638, 643 (superior derecha), 641 (superior)

Campbell, Naomi 149 (inferior derecha), 152 (derecha), 211 (inferior izquierda), 212 (izquierda), 229 (izquierda), 232 (izquierda), 263 (izquierda), 345 (inferior centro)

Cant, Lisa 405 (superior izquierda), 420 (inferior izquierda), 425 (inferior)

Casta, Laetitia 330 (centro)

Castellane (de), Victoire *véase* de Castellane, Victoire

Cavazzoni, Greta 115 (derecha)

Ceretti, Vittoria 653 (superior derecha), 656 (inferior derecha), 674, 681 (inferior izquierda), 688, 705 (superior), 710 (inferior izquierda), 716, 728, 732, 736 (derecha)

Chabot, Kayley 549 (derecha)

Chaltin, Noor 687 (inferior derecha)

Chenskaya, Valeria 739 (inferior)

Chiminazzo, Jeisa 304 (inferior)

Christensen, Helena 121 (derecha), 127 (izquierda), 129 (derecha), 131 (superior derecha), 132 (derecha), 140 (izquierda), 145 (superior izquierda), 147 (derecha), 160 (derecha), 168 (derecha), 173 (superior izquierda), 180, 215 (superior derecha), 233 (superior derecha)

Ciffoni, Carla 545 (izquierda)

Claudel, Aurélie 248

Cleveland, Pat 30 (superior derecha), 54, 323 (superior izquierda)

Cole, Lily 341 (derecha), 343 (derecha), 372, 375

Córdula, Cristina 62 (izquierda), 66 (izquierda), 95 (superior), 100 (derecha), 109 (inferior izquierda)

Crawford, Cindy 167 (inferior derecha), 168 (izquierda), 182 (izquierda)

Crombez, Elise 344 (izquierda), 345 (inferior, segunda por la izquierda)

Cruz, Penélope 711 (superior, tercera por la izquierda)

D

Dahl, Sarah 690 (inferior)

Davies, Jake 600 (segundo por la izquierda)

Davolio, Anna 329 (derecha)

de Brauw, Saskia 503 (centro), 505 (izquierda), 508 (inferior derecha), 574 (inferior derecha)

de Castellane, Victoire 59 (inferior izquierda), 197 (extremo derecha)

de Graaf, Lauren 617 (inferior derecha), 632 (superior izquierda), 690 (superior derecha), 708 (derecha), 717 (izquierda), 723 (inferior)

De Jong, Esther 224 (derecha), 242 (izquierda)

de la Fressange, Inès 27 (derecha), 29 (derecha), 33 (inferior derecha), 35 (derecha), 41 (superior izquierda), 43, 44 (derecha), 45, 46 (superior izquierda), 48, 49 (superior derecha), 52, 55, 56 (superior derecha), 57 (extremo derecha), 60 (izquierda), 61 (superior izquierda), 63 (inferior derecha), 65 (izquierda), 68, 69 (derecha), 70, 73 (inferior izquierda), 74–76, 80, 81 (derecha), 85 (superior derecha e inferior derecha), 86, 87 (inferior derecha), 88 (centro), 89 (derecha), 92 (derecha), 93 (izquierda), 94, 97 (izquierda), 99 (izquierda), 101 (izquierda), 487 (derecha)

de Maigret, Caroline 259

de Witt, Dianne 28

Deitering, Debbie 189 (inferior), 198 (inferior derecha)

Deleeuw, Marine 528 (inferior derecha), 578 (superior izquierda)

Delevingne, Cara 516, 522 (superior izquierda), 539 (inferior izquierda), 560 (izquierda), 569 (izquierda), 571, 587 (centro), 593 (superior izquierda), 646, 649 (izquierda), 708 (izquierda)

Depp, Lily-Rose 647 (inferior), 653 (inferior)

di Calypso, Charlotte 459 (superior centro), 464 (derecha), 465 (izquierda)

Djuranovic, Irina 604 (derecha)

Donaldson, Lily 340, 342 (izquierda), 354, 357 (inferior derecha), 364, 381 (superior izquierda), 384 (inferior derecha), 389 (derecha), 407 (derecha), 419 (superior izquierda), 440 (izquierda), 444 (superior derecha)

Dondoe, Diana 333 (superior izquierda), 365 (inferior izquierda)

Douglas, Dana 199 (superior derecha)

du Bospertus, Nadège 106, 120 (derecha), 161, 164 (derecha), 224 (izquierda)

Du, Juan 464 (izquierda)

Dubled, Morgane 341 (superior), 355 (derecha), 370 (izquierda), 374 (derecha)

Dunn, Jourdan 439 (superior derecha), 444 (izquierda)

Dunne, Aly 81 (izquierda), 83 (izquierda), 85 (izquierda), 101 (derecha)

Dvoráková, Denisa 460, 492 (izquierda)

Dziahileva, Tanya 433 (inferior derecha), 439 (inferior derecha)

E

Elizabeth, Alexandra 607 (superior izquierda), 610 (inferior derecha)

Ellingson, Lindsay Marie 345 (superior izquierda), 373 (izquierda), 395 (izquierda), 411 (superior izquierda), 414 (derecha), 439 (superior izquierda), 441 (superior izquierda)

Elliot, Gail 79 (centro), 125 (izquierda)

Elson, Karen 249 (superior derecha), 268 (izquierda), 345 (inferior)

Erthal, Angelica 651 (inferior derecha)

Evangelista, Linda 53 (derecha), 72, 118, 120 (izquierda), 123 (derecha), 125 (derecha), 218

(derecha), 130 (superior),
131 (superior izquierda), 132
(izquierda), 135, 143, 144
(izquierda), 146 (izquierda), 151
(derecha), 156 (izquierda),
160 (izquierda), 172 (derecha),
179, 188, 189 (derecha), 190
(izquierda), 199 (inferior
derecha), 208 (inferior), 209
(superior izquierda), 229 (superior
derecha), 239 (superior izquierda),
253 (superior izquierda), 255
(inferior izquierda), 256 (inferior
izquierda), 327 (superior
izquierda), 346 (superior
izquierda e inferior izquierda)
Ewers, Anna 574 (centro), 658, 710
(derecha)

F
Faretta 659 (inferior izquierda),
711 (superior, segunda por la
izquierda)
Fazekas, Juliette 577 (superior
derecha)
Ferrarezi, Liliane 322
Firth, Malaika 574 (inferior
izquierda), 584 (inferior derecha)
Fitzgerald, Aleyna 669 (inferior
derecha)
Flowers, Lila 718 (inferior izquierda)
Forrest, Selena 645 (izquierda), 671
(inferior derecha), 718 (superior
izquierda)
Frackowiak, Magdalena 405
(derecha), 415 (izquierda), 416
(inferior), 420 (inferior derecha),
466, 479 (superior izquierda), 496
(inferior), 518 (superior izquierda)
Free, Charlotte 570, 577
(inferior), 581 (inferior derecha),
585 (inferior derecha), 586
(inferior), 618 (derecha)
Freeman, Portia 361 (derecha)
Fressange (de la), Inès véase de la
Fressange, Inès
Furrer, Ronja 593 (inferior
izquierda)

G
Gadjus, Luca 305 (inferior
derecha), 326, 351 (inferior
izquierda), 441 (derecha)
Gallagher, Maureen 108
(derecha), 115 (izquierda)

Gardygajlo, Patrycja 537 (superior
izquierda)
Garrn, Toni 450, 474
(superior derecha), 502 (derecha)
Genier, Emma 614 (superior
izquierda)
Gerber, Kaia 666 (superior),
670, 672 (superior izquierda),
677 (superior), 693 (derecha),
704 (izquierda), 710 (superior
izquierda), 721 (inferior derecha),
725 (superior), 729 (inferior
derecha), 734 (superior izquierda),
737 (inferior izquierda)
Gesto, Melina 615 (inferior derecha)
Ghauri, Yasmeen 124 (izquierda),
133 (derecha), 136, 149 (superior
izquierda), 151 (inferior izquierda)
Giabiconi, Baptiste 471 (centro
inferior), 479 (inferior derecha),
600 (superior izquierda)
Giraud, Héloïse 603 (inferior
izquierda)
Goddrie, Damaris 631 (inferior
izquierda)
Goff, Trish 197 (inferior izquierda),
198 (superior derecha), 210,
216 (superior derecha), 223
(inferior izquierda), 243
(derecha), 253 (superior derecha),
285 (inferior), 291 (inferior
izquierda)
Good, Ashley 585 (superior)
Gorczevski, Waleska 623 (superior
derecha)
Gotsii, Nataliya 352
Grace Elizabeth 680, 694 (inferior
derecha)
Grenville, Georgina 229 (inferior
derecha)
Grikaite, Kris 689 (inferior
izquierda), 721 (superior)
Groeneveld, Daphne 509 (izquierda)
Gustavsson, Frida 457 (inferior), 469
(superior izquierda), 496 (superior
izquierda), 498
Gutknecht, Michelle 667 (inferior
derecha), 683 (inferior derecha),
689 (inferior derecha)

H
Hadid, Bella 620, 632 (superior
derecha), 685 (inferior derecha)
Hadid, Gigi 627 (derecha),
726 (superior), 730 (superior
izquierda), 733 (superior

izquierda), 738 (superior, tercera
por la izquierda)
Hall, Bridget 199 (inferior izquierda)
Hall, Jerry 38 (inferior), 39
(inferior), 42, 47 (izquierda), 60
(derecha), 61 (inferior derecha)
Hanganu, Daniela 596
Hardin, Ondria 562, 564 (primera
por la izquierda), 567 (inferior
izquierda), 633 (superior)
Harlow, Shalom 167 (izquierda),
169 (izquierda), 174 (izquierda),
194 (izquierda), 198 (izquierda),
207 (superior derecha), 211
(superior izquierda), 212
(derecha), 219 (inferior), 222,
227 (inferior), 237 (inferior
izquierda), 238 (izquierda), 243
(izquierda), 245 (derecha), 257
(derecha), 346 (inferior)
Harris, Rachelle 722 (izquierda)
Hartmann, Patricia 184
Hartzel, Grace 535 (inferior
derecha), 563 (centro), 591
(derecha), 594 (izquierda)
He, Cong 657 (superior derecha),
664 (inferior izquierda), 668
(superior izquierda), 671
(inferior izquierda), 735 (superior
izquierda), 738 (inferior)
Hemingway, Dree 456 (superior)
Hennink, Marpessa 35 (izquierda),
37 (izquierda), 50, 59 (superior
izquierda), 69 (izquierda), 91
(izquierda), 93 (derecha), 104
(inferior izquierda), 110, 113
(derecha), 116 (derecha), 126,
127 (derecha), 144 (derecha), 152
(izquierda), 157 (superior derecha),
170, 175 (extremo izquierda)
Hernandez, Krini 734 (inferior
izquierda)
Herrmann, Cristina 642 (derecha),
695 (superior izquierda)
Herzigová, Eva 165 (inferior), 208
(derecha), 216 (izquierda), 249
(inferior), 331 (derecha), 345
(inferior)
Hicks, Michele 231 (inferior
derecha), 241 (inferior izquierda),
246 (izquierda)
Hillestad, Carmen Maria 312
(inferior)
Hoarau, Pauline 673 (inferior
derecha)
Hofmann, Larissa 568 (inferior
derecha), 582 (inferior derecha)

Hume, Kirsty 195, 209 (inferior izquierda), 219 (superior izquierda), 221 (izquierda), 234, 235 (superior derecha), 256 (inferior derecha)

Hunt, Martha 529 (superior derecha)

Hurel, Camille 644 (izquierda), 665 (derecha), 675 (inferior derecha)

Husselmann, Chané 665 (derecha)

I

Ihnatenko, Vika 639 (inferior izquierda)

Iman 53 (superior izquierda)

Inga, Maike 724

Ivanova, Anastasia 535 (inferior izquierda)

J

Jablonski, Jacquelyn 459 (inferior izquierda), 507 (derecha), 511 (superior derecha), 563 (superior izquierda)

Jagaciak, Jac 650

Jagger, Georgia May 475 (derecha), 476 (superior izquierda), 521, 563 (inferior derecha), 648 (inferior izquierda)

Jagodzinska, Anna 366 (izquierda), 429 (superior derecha)

Jean, Tara 453 (derecha)

Jenner, Kendall 590 (superior derecha), 606 (izquierda), 615 (superior), 617 (inferior izquierda)

Jin, Han 399 (inferior derecha)

Jing Wen 632 (inferior), 669 (superior izquierda), 721 (inferior izquierda)

Johansen, Julia 513 (inferior derecha)

Jondeau, Sébastien 476 (superior derecha)

Ju, Xiao Wen 550 (inferior izquierda)

Jüliger, Adrienne 675 (inferior izquierda)

Jung, HoYeon 666 (inferior)

K

Kallmann, Eliza 696 (izquierda)

Kang, Sijia 677 (inferior derecha)

Kang, So Young 515 (inferior derecha)

Kasanpawiro, Mara 702 (izquierda)

Kass, Carmen 241 (superior izquierda), 280, 350, 374 (superior izquierda)

Katoucha véase Niane, Katoucha

Kaufman, Valery 589 (inferior centro), 625 (superior izquierda)

Kawahara, Ayako 186 (izquierda)

Kazakova, Anya 435 (superior izquierda e inferior derecha)

Kershaw, Abbey Lee 454 (superior izquierda), 461 (superior derecha e inferior derecha), 463 (derecha), 471 (inferior derecha), 481 (inferior izquierda), 497 (derecha), 500 (izquierda)

Kidd, Jodie 215 (superior izquierda), 217 (superior derecha), 225 (inferior izquierda), 230, 235 (inferior derecha), 240, 247 (derecha), 261 (superior derecha)

Kikuchi, Rinko 612 (inferior)

Kim, Sung Hee 608 (derecha)

Kloss, Karlie 480 (superior derecha), 486 (superior centro y superior derecha)

Kocheva, Angelika 420 (inferior centro), 422 (inferior izquierda), 458 (inferior izquierda)

Kocianova, Michaela 389, 400 (inferior izquierda)

Kokoreva, Katia 426 (superior izquierda), 461 (superior e inferior izquierda)

Kondratjeva, Anastasija 445 (inferior izquierda), 469 (superior derecha)

Kroenig, Brad 471 (inferior)

Kroenig, Hudson 363, 569 (derecha), 679, 691 (superior)

Kruger, Emmy 615 (inferior izquierda)

Kulikova, Irina 405 (inferior izquierda), 445 (derecha)

Kurková, Karolína 305 (superior)

Kuznetsova, Anna 365 (inferior derecha)

Kwak, Ji Young 568 (izquierda), 579 (superior derecha), 610 (izquierda)

L

Lacerda, Ceyla 106 (superior izquierda), 110 (derecha), 116 (izquierda)

Lacroix, Anne-Catherine 271 (derecha), 297 (derecha), 301 (derecha), 307 (superior derecha)

Laguinge, Magda 542

Lanaro, Romina 355 (izquierda)

Lapina, Ginta 492 (derecha), 493 (inferior derecha), 499

Latinovic, Maja 311 (superior izquierda)

Lazareanu, Irina 341 (inferior izquierda), 345 (superior izquierda), 349 (inferior izquierda), 381 (superior derecha), 383 (izquierda), 386, 388, 392, 402 (inferior izquierda)

Le Bon, Yasmin 90 (izquierda)

Le Tutour, Joséphine 584 (izquierda)

Lee Kershaw, Abbey véase Kershaw, Abbey Lee

Legare, Michelle 103, 108 (extremo izquierda), 111 (izquierda), 112 (derecha), 114, 117 (izquierda), 119 (derecha), 122, 133 (izquierda), 134 (derecha)

Lepère, Anouck 293 (superior izquierda), 323 (inferior izquierda), 371 (derecha)

Lindvall, Angela 247 (izquierda), 252 (izquierda), 259 (superior izquierda), 270 (superior), 283 (inferior), 377 (izquierda), 486 (izquierda)

Ljadov, Alexandra Elizabeth 621 (superior)

Ljungstrom, Fia 556

Lobova, Yulia 455 (superior derecha)

Loks, Maria 540 (superior izquierda)

Longendyke, Rebecca Leigh 690 (superior izquierda), 722 (derecha), 735 (inferior)

Loyce, Karly 635 (izquierda), 669 (inferior izquierda)

Lucia, Stella 608 (inferior izquierda), 610 (superior centro)

Luss, Sasha 548 (inferior izquierda), 554 (izquierda), 565 (izquierda)

M

Maas, Mirte 471 (superior izquierda), 534 (izquierda), 551 (superior)

Mahary, Grace 565 (inferior)

Maigret (de), Caroline véase de Maigret, Caroline

Marks, Heather 336 (izquierda), 563 (superior derecha)

Marnay, Audrey 251 (inferior), 255 (superior e inferior derecha), 317 (centro), 330, 358, 599 (inferior derecha)

Martinez, Hiandra 654, 660 (derecha), 672 (derecha), 700 (inferior derecha)

Mason, Claudia 124 (derecha), 134 (izquierda)

Masson, Lesly 366 (inferior)

Matsuoka, Mona 576 (superior derecha)

McMenamy, Kristen 128 (izquierda), 129 (izquierda), 137 (inferior derecha), 138 (derecha), 148, 159 (derecha), 163 (inferior derecha), 174 (centro), 200 (superior izquierda), 201 (superior izquierda), 235 (superior izquierda), 346 (superior derecha e inferior), 502 (izquierda), 503 (superior izquierda)

McNeil, Catherine 590 (superior extremo izquierda), 614 (superior derecha)

Miguel, Maria 687 (inferior izquierda), 730 (inferior)

Mihaljcic, Mijo 557 (inferior izquierda)

Miller, Jessica 319 (inferior), 401 (derecha)

Minher, Blésnya 725 (inferior izquierda)

Montero, Lineisy 701 (superior izquierda)

Moody, Vanessa 590 (inferior)

Moore, Amanda 311 (inferior izquierda)

Moore, Julianne 613 (inferior)

Morais, Alécia 636 (izquierda)

Mortensen, Alberte 717 (derecha)

Moss, Kate 166, 171 (centro), 178 (derecha), 194 (derecha), 206, 211 (derecha), 213 (inferior derecha), 215 (inferior), 217 (inferior izquierda), 218, 220 (izquierda), 227 (superior izquierda), 228 (superior izquierda y superior derecha), 236, 239 (derecha), 246 (izquierda), 261 (inferior derecha)

Mounia (Monique-Antoine Orosemane) 31 (superior derecha), 57 (derecha)

Mount, Heidi 378 (izquierda), 422 (inferior izquierda), 428 (centro), 442, 465 (derecha), 470

Mulder, Karen 131 (inferior), 137 (superior derecha), 138 (izquierda), 158, 163 (izquierda), 165 (superior derecha), 205 (izquierda), 207 (superior izquierda), 209 (superior derecha), 213 (izquierda), 220 (derecha), 225 (superior izquierda)

Murphy, Carolyn 254

Muse, Arizona 505 (derecha), 663 (inferior izquierda)

Muze, Aivita 726 (inferior izquierda)

N

Nair, Radhika 686 (derecha)

Nescher, Kati 515 (inferior izquierda), 519 (superior izquierda), 525 (inferior izquierda), 526, 539 (superior izquierda), 544 (superior izquierda), 545 (inferior derecha), 557 (superior derecha)

Niane, Katoucha 98, 102, 107 (derecha)

Nobis, Julia 506, 509 (superior derecha), 512 (superior derecha), 537 (superior derecha), 540 (inferior derecha)

Noble, Jennifer 107 (inferior)

Noorda, Kim 367 (superior derecha), 404 (izquierda), 423 (izquierda)

Noordhoff, Felice Nova 737 (superior derecha)

Norman, Giselle 694 (izquierda)

Novoselova, Masha 434 (izquierda)

O

O'Connor, Erin 237 (superior), 242 (derecha), 261 (izquierda), 288, 293 (inferior)

Oak, Emma 575 (superior)

Odiele, Hanne Gaby 405 (centro), 469 (inferior izquierda), 473 (inferior izquierda), 477

Ogg, Natalie 682 (derecha)

Okunugi, Chiharu 548 (derecha), 551 (inferior derecha), 557 (superior izquierda), 640 (izquierda)

Onopka, Snejana 421, 491 (superior derecha)

Orosemane, Mounia véase Mounia (Monique-Antoine Orosemane)

Osmanova, Alyona 394 (izquierda)

Otashliyska, Kremi 541, 564 (segunda por la izquierda), 577 (superior izquierda), 583 (inferior derecha), 589 (superior derecha), 599 (derecha), 611 (derecha)

Owen, Kirsten 251 (superior derecha), 267 (centro), 273 (inferior derecha), 303 (inferior)

P

Paccoud, Alyssah 717 (centro)

Palm, Hedvig 517 (izquierda)

Palvin, Barbara 494

Pajak, Aneta 618 (inferior izquierda)

Park, Soo Joo 651 (inferior izquierda)

Parker, Louise 588 (inferior izquierda), 622 (derecha)

Patitz, Tatjana 146 (derecha), 149 (izquierda), 162

Pavlova, Odette 648 (inferior derecha), 726 (inferior derecha)

Pavlowska, Martina 336 (derecha)

Pedaru, Karmen 420 (superior izquierda), 458 (superior izquierda), 472 (superior izquierda), 490 (derecha)

Pedersen, Louise 337 (derecha)

Pei, Emma 462 (superior izquierda)

Pernar, Tabitha 573 (izquierda)

Persson, Malin 313 (centro)

Petkovic, Antonina 601, 607 (derecha), 637 (superior izquierda)

Piekarska, Patrycja 733 (inferior derecha), 737 (superior centro)

Pivovarova, Sasha 404 (superior derecha), 407 (superior izquierda), 409 (izquierda), 427 (superior derecha), 434 (derecha), 437 (derecha), 453 (izquierda), 459 (inferior derecha), 491 (superior izquierda)

Plotnikova, Kid 575 (inferior derecha)

Podzimkova, Bara 629 (superior izquierda), 633 (inferior), 636 (superior derecha)

Poly, Natasha 385 (inferior derecha), 433 (inferior izquierda), 477 (derecha)

Popova, Liza 729 (inferior izquierda), 733 (inferior izquierda)

Q

Qin, Shu Pei 481 (derecha), 495 (superior derecha), 579 (izquierda)

Quinones, Brandi 178 (izquierda), 183 (izquierda), 201 (inferior izquierda)

R

Rajzak, Kinga 484 (superior), 508 (superior izquierda)

Rammant, Estée 568 (superior centro)

Rappe, Emmy 598 (izquierda), 626 (izquierda)

Rasmussen, Rie 320 (derecha)

Rastovic, Aleksandra 361 (izquierda), 362 (derecha)

Ratner 661 (izquierda), 673 (superior izquierda), 683 (superior izquierda)

Ribeiro, Caroline 289 (izquierda), 291 (inferior derecha)

Richardson, Kori 409 (derecha), 427 (inferior izquierda), 438 (superior derecha)

Robinson, Rachael 588 (superior izquierda)

Rocha, Coco 393 (inferior), 427 (superior izquierda e inferior derecha), 428 (extremo izquierda)

Roche, Meghan 682 (izquierda)

Rodermans, Josefien 515 (superior)

Rohart, Anne 27 (izquierda), 31 (inferior), 37 (derecha), 46 (inferior), 83 (extremo derecha)

Rohner, Vivienne 738 (superior izquierda)

Rollinson, Sam 544 (derecha), 561, 589 (izquierda)

Roslyakova, Vlada 379, 384 (superior izquierda), 394 (derecha), 397 (derecha), 398 (izquierda), 404 (inferior derecha), 412, 415 (derecha), 419 (inferior derecha), 425 (superior izquierda), 431 (izquierda), 432, 440 (derecha), 462 (inferior izquierda)

Rubik, Anja 396, 462 (derecha), 477, 479 (superior derecha), 518 (superior derecha)

Rudnicka, Ola 639 (superior derecha), 691 (inferior izquierda), 694 (superior derecha), 718

(inferior derecha), 733 (superior derecha)

Rutledge, Lisa 33 (inferior izquierda)

Ryall, Lise 31 (superior izquierda)

S

Saker, Hollie-May 589 (inferior derecha), 597 (superior derecha)

Salvail, Ève 172 (izquierda), 183 (derecha)

Sanchez, Amanda 321 (izquierda), 327 (inferior derecha), 333 (superior derecha), 642 (izquierda)

Sanchez, Violetta 44 (izquierda)

Sastre, Inés 216 (inferior derecha)

Schiffer, Claudia 117 (derecha), 119 (izquierda), 142, 151 (superior izquierda), 157 (inferior derecha), 163 (superior derecha), 167 (superior derecha), 168 (derecha), 173 (superior derecha), 174 (derecha), 177, 190 (derecha), 197 (superior izquierda y centro), 204 (derecha), 207 (inferior derecha), 213 (superior derecha), 217 (inferior derecha), 231 (extremo izquierda)

Schmoll, Milagros 385 (superior derecha)

Schneider, Mika 739 (superior)

Schonberger, Romy 678 (derecha)

Schurig, Juliana 554 (derecha), 564 (derecha), 573 (inferior derecha)

Seay-Reynolds, Esmeralda 576 (inferior)

Selezneva, Anna 480 (inferior), 504 (inferior)

Semprebom, Fabiana 367 (inferior derecha), 374 (centro)

Serzhantova, Yulia 528 (superior derecha)

Seymour, Stephanie 196, 199 (superior izquierda), 202

Shaw, Abril 655 (superior)

Shin, HyunJi 631 (inferior derecha), 675 (superior izquierda), 738 (superior, segunda por la izquierda)

Shepherd, Myf 430 (superior derecha)

Shnitman, Irina 603 (superior derecha)

Sihvonen, Saara 539 (inferior derecha)

Sjöberg, Emma 130 (inferior), 175 (derecha)

Skriver, Josephine 557 (inferior derecha)

Smalls, Joan 531

Smit, Nimue 445 (superior izquierda)

Smith, Rose 511 (superior centro)

Sobolewska, Kasha 139 (derecha)

Soede, Steffi 528 (izquierda)

Srej, Sophie 509 (inferior), 522 (derecha)

Stam, Jessica 329 (inferior izquierda), 395 (derecha)

Stange, Iekeliene 447 (izquierda), 459 (superior izquierda)

Stankiewicz, Zuzanna 523 (izquierda)

Steinberg 737 (superior izquierda)

Sten, Nastya 629 (superior centro)

Steponaviciute, Julija 496 (centro)

Stone, Lara 457 (superior), 468, 592

Stracke, Skye 458 (inferior derecha), 459 (superior derecha)

Strittmatter, Nadine 618 (superior izquierda)

Strubegger, Iris 471 (superior derecha), 479 (inferior izquierda)

Struss, Kasia 398 (derecha), 480 (superior izquierda), 510 (superior)

Summers, Fran 677 (inferior izquierda), 673 (inferior izquierda), 695 (inferior izquierda)

Sumrie, Blue 627 (izquierda)

Sun, Fei Fei 604 (izquierda)

Sylvan, Elsa 424 (inferior izquierda), 426 (inferior y superior derecha), 429 (centro), 430 (inferior), 438 (inferior), 467 (inferior)

T

Tadeushuk, Zuzu 626 (derecha)

Tammerijn, Melissa 510 (inferior derecha), 540 (superior derecha)

Taylor, Cara 661 (superior derecha)

Taylor, Niki 207 (inferior izquierda)

Tennant, Stella 181 (izquierda), 189 (superior izquierda), 226, 231 (superior izquierda), 237 (inferior derecha), 239 (inferior izquierda), 241 (derecha), 264, 266, 293 (superior derecha), 303 (superior derecha), 305 (inferior izquierda), 335 (inferior izquierda), 485 (izquierda), 513 (superior derecha), 533, 543 (derecha), 634

Tenório, Bruna 408 (superior derecha), 416 (superior derecha)

Thaler, Carolina 653 (superior izquierda), 678 (izquierda), 709 (superior derecha)

Tilberg, Tasha 378 (derecha)

Tollerød, Siri 406, 410, 414 (izquierda), 424 (superior derecha), 425 (superior derecha), 430 (superior izquierda), 439 (inferior izquierda), 452, 454 (derecha), 456 (inferior), 467 (superior), 469 (inferior derecha), 472 (derecha), 478 (superior derecha)

Tougaard, Mona 738 (superior, extremo derecha)

Trentini, Caroline 345 (superior derecha), 353 (izquierda)

Turlington, Christy 121 (derecha), 137 (superior izquierda), 139 (izquierda), 141, 147 (izquierda), 150 (izquierda), 153 (derecha), 159 (izquierda), 165 (superior izquierda), 171 (derecha), 192

V

Valade, Aymeline 504 (superior derecha), 507 (izquierda), 510 (inferior izquierda), 591 (superior, segunda por la izquierda)

Valletta, Amber 176, 185 (derecha), 217 (superior izquierda), 227 (superior derecha), 228 (inferior), 345 (inferior), 346 (inferior)

van Bijnen, Michelle 609 (derecha)

van Cleef, Namara 597 (izquierda)

van der Laan, Stef 537 (inferior derecha)

van Haaster, Marte Mei 514, 617 (superior)

van Rompaey, Rianne 736 (izquierda)

van Seenus, Guinevere 214, 219 (superior derecha), 221 (derecha), 223 (superior derecha), 233 (superior izquierda), 423 (derecha)

Varlese, Greta 655 (derecha), 709 (izquierda)

Verhoef, Maartje 587 (inferior derecha), 652 (derecha), 657 (superior izquierda)

Vilkeviciute, Edita 431 (derecha)

Vodianova, Natalia 306, 315 (superior), 318, 321 (derecha), 408 (izquierda)

Volodina, Eugenia 313 (derecha)

von Gerkan, Manon 223 (inferior derecha)

Vujovic, Marija 342 (derecha)

W

Wallerstedt, Sara Grace 681 (inferior derecha), 723 (superior), 727 (superior derecha)

Walton, Binx 583 (inferior izquierda), 585 (inferior izquierda), 587 (izquierda), 667 (inferior izquierda)

Wangy Xinyu 689 (superior)

Ward, Gemma 348, 356 (inferior izquierda), 377 (derecha), 397 (superior izquierda)

Wasson, Erin 345 (inferior), 555

Webb, Veronica 58, 62 (derecha), 63 (izquierda), 64, 65 (derecha), 155 (superior derecha), 157 (izquierda), 175 (centro)

Weber, Aline 482 (superior), 488

Welch, Florence 507 (centro)

Welzen, Maud 520 (superior derecha)

Wen, Liu 419 (inferior centro), 479 (superior centro), 588 (inferior derecha)

Werbowy, Daria 332 (derecha), 347 (inferior), 376

Wesseloh, Antonia 518 (inferior), 519 (inferior), 550 (derecha)

Wesson, Amy 235 (inferior izquierda)

Westling, Natalie 593 (inferior derecha)

Wheeler, Jacquetta 287 (superior izquierda), 297 (izquierda), 299 (derecha), 307 (superior izquierda), 474 (izquierda)

Wijnaldum, Yasmin 660 (izquierda), 665 (izquierda), 686 (izquierda)

Willems, Kiki 637 (superior derecha), 676 (izquierda), 720, 734 (inferior derecha), 737 (inferior derecha)

Williams, Pharrell 647 (superior derecha)

Williams, Tami 718 (superior derecha)

Wilvert, Solange 362 (izquierda), 363, 373 (derecha)

Winberg, Caroline 319 (izquierda), 334

Winkler, Lisa 259 (superior derecha)

Wixson, Lindsey 524, 525 (superior izquierda e inferior derecha), 560 (segunda por la izquierda), 593 (superior derecha), 621 (inferior izquierda), 640 (derecha), 649 (superior derecha)

X

Xi, Ming 529 (izquierda), 549 (izquierda), 559 (derecha), 564 (superior izquierda), 581 (inferior izquierda)

Y

Yai, Anok 699 (derecha), 701 (superior derecha)

Young, Kirat 53 (inferior), 66 (derecha), 71, 73 (derecha)

Z

Zakharova, Svetlana 558 (derecha)

Zelauy, Gisele 91 (derecha), 99 (derecha), 140 (superior derecha)

Zimmer, Alana 403 (derecha)

Zimmermann, Raquel 270 (derecha), 335 (inferior derecha), 387 (izquierda), 401 (izquierda), 403 (izquierda)

Zinaich, Danielle 503 (derecha)

Se ha realizado un importante esfuerzo para identificar a las modelos que aparecen en el libro, pero en algunos casos no ha sido posible. Estaremos encantados de introducir cualquier información pertinente en posteriores reimpresiones.

ÍNDICE

Véanse también los índices previos de las fotografías.

A

«A Forest» (The Cure) 498
Academia Francesa 688
acolchado, bolso 2.55 *véase* Chanel
    bolsos, acolchados
Adjani, Isabelle 713
aire de Chanel, El (Morand) 504, 562
Akech, Adut 688
Alemania 23, 106, 484, 538, 670,
    692
Alexander, Hilary 318
Allen, Lily 456
Altman, Robert 188
Amalienburg, palacio, Múnich 484
Andersen, Hans Christian 240
Aphrodite's Child 658
Apollinaire, Guillaume 358
«Around the World» (Daft Punk) 542
Arquitectura pictórica 1918–1919
    (Popova) 432
art déco 422, 612
arte pop 292, 570, 608
Ateliers Berthier, París 340, 360
Atys ópera (Lully) 74
Auermann, Nadja 330, 344
Austria 504, 592
Azalea, Iggy 214

B

Ballets Rusos 192, 294, 390, 432
Balmain (marca) 14, 23
Balmain, Pierre 23
Banhart, Devendra 368
barroco, estilo 28, 106, 360,
    390, 580
Barrie (cachemira) 17, 532
Bate, Vera 84
«Be My Baby» (Ronettes) 406
Beardsley, Aubrey 638

Beauvoir, Simone de 358
Beaux, Ernest 432
Beistegui, Carlos de 580
Bergman, Ingmar 240
Biarritz 90, 250
Biceps et Bijoux (dir. Manuel) 502
Bijl, Luna 692
«Bijoux de Diamants», colección
    (Coco Chanel) 234, 612
Binoche, Juliette 713
Birkin, Jane 306
bizantino, estilo 16, 376, 432, 488,
    736
Blade Runner (dir. Scott) 550
Blanks, Tim 634, 638, 642, 702,
    720, 724, 732
Blixen, Karen 240
Blondie 306, 328
Blur 322
Boccaccio '70 (dir. varios) 592
Bois de Boulogne, París 272, 382
Borg, Dominique 713
Boscono, Mariacarla 706
bosquete de las tres fuentes,
    Versalles 17, 520
Bouffon, conde de 15
Bouquet, Carole 64
Bowie, David 344, 706
Bowles, Hamish 570, 702, 716, 728,
    736
Brummell, George «Beau» 442
Bruni, Carla 330

C

Cadette (marca) 14, 23
Café de Flore, París 358
Café Marly, París 308
Cambon, calle, París 13, 48, 52,
    226, 248, 310, 316, 330, 428,

    438, 466, 488, 630, 638, 650,
    713, 720, 728
Cambon Capucines, pabellón, París
    438, 466
Campbell, Naomi 330, 344
Campos Elíseos, teatro de las, París 86
Capel, Arthur «Boy» 410
Carrusel del Louvre, París 248,
    284, 300
Caryathis 294
Casati, Luisa, marquesa 446
Casta, Laetitia 330
Causse (guantes) 17, 688
Chaillot, palacio de Trocadero, París
    102
Chanel, bolsos
    «2005» 250, 258, 284
    acolchados (2.55) 16
        1980, década de 52, 68
        1990, década de 114, 122, 206,
        214
        2000, década de 270, 276, 300,
        328, 356, 406, 418
        2010, década de 470, 570
    de playa 526
    «Girl» 586
Chanel, Gabrielle «Coco»
    5 como número de la suerte 64,
        250, 728
    amigos y relaciones 16, 84, 162,
        196, 294, 390, 410, 432, 446,
        494, 532, 592, 620, 724
    androginia 206, 230, 236, 334, 504
    ballet, pasión por el 294, 390, 432
    canotier 418, 504, 666
    colecciones 28, 226, 292
    color 396, 624
    diseño de confección 42, 294, 390,
        484
    diseño interior 460, 532

diseños 26, 42, 102, 122, 130,
    424, 456, 460, 488
estilo 15–16, 19, 26, 296, 364,
    410, 706, 716, 720, 724, 728,
    732
joyas 234, 432, 502, 504, 630,
    736
New Look 272
prendas de ropa 16, 58, 230, 372,
    412, 716
residencias 218, 226, 292, 390,
    428, 456, 504, 646, 650, 684,
    720, 728
ropa deportiva 34, 244, 504, 736
rótulas 40, 118
trigo como símbolo de la fortuna
    142, 456
vacaciones 16, 58, 84, 90, 162,
    196, 410, 446, 532
vestido ampuloso 42, 184
vestidos gitanos 122, 244, 288
vida personal 16, 562, 602, 732
vuelta a la década de 1950 13,
    14, 26, 356, 364, 562, 592, 602
Chanel, iconos
    camelias (flor preferida de Coco)
        13, 16
        1980, década de 32, 52, 58, 64,
            68, 76
        1990, década de 122, 126, 206,
            250
        2000, década de 272, 304, 314,
            328, 350, 360, 386, 402, 418,
            438
        2010, década de 570, 608, 630,
            658, 670, 728
    chaqueta 592
        1980, década de 28, 42, 60, 72,
            102
        1990, década de 148, 154
        2000, década de 310, 334, 412,
            418, 442, 452
        2010, década de 498, 616, 634,
            716, 736
    doble C, motivo de la 13, 17
        1980, década de 50, 52, 54
        1990, década de 170, 214
        2000, década de 292, 300, 314,
            324, 328, 392, 400, 422
        2010, década de 470, 498, 514,
            542, 576, 728
    «minivestido negro» 14, 206, 356
    perlas 52, 122, 196, 276, 308,
        418, 502, 506, 526, 630, 634,
        638, 666, 674, 736
    traje 13, 16, 592
        1980, década de 32, 38, 40, 50,
            52, 60, 74, 80

1990, década de 122, 184, 188,
    196, 202, 260, 264
2000, década de 278, 280, 288,
    322, 324
2010, década de 556, 612, 616,
    620, 638, 642, 646, 650, 674,
    688, 692, 716, 724, 728
tweeds 14, 16, 532
    1980, década de 84
    1990, década de 130, 154, 244,
        258
    2000–2004 280, 296, 306,
        318, 322, 328, 334, 338
    2005–2009 348, 350, 364,
        396, 410, 418
    2010, década de 470, 616, 630,
        634, 642, 650, 654, 658, 666,
        688, 692, 716, 724, 728,
        736
zapatos bicolor 16, 214, 602
Chanel Nº 5 (fragancia) 64, 292,
    344, 400, 432, 452
Chanel Nº 5, anuncio de (Luhrmann)
    344
Chanel, tiendas 90, 348, 368, 410,
    504, 542
Chaplin, Geraldine 620
Charles Jourdan (firma) 14, 23
Chez Régine, París 278
China 460
Chloé (firma) 13, 14, 23, 713
Chloé (fragancia) 23
Clueless (dir. Heckerling) 188, 214
Coco 913-Chanel 1923 (dir. Lagerfeld)
    432
Cocteau, Jean 390
Cole, Lily 372
Colette 474
Composición suprematista, serie
    (Malevich) 322
Concordia, plaza de la, París 358
constructivismo 432
Coppola, Sofia 728
Corea del Sur 608
Couture Council Fashion
    Visionary Award, premio 24
Cruz, Penélope 706
Cuba 634
cubismo 210, 516
Cuir de Russie (fragancia) 432
Cunard, Nancy 94
Cure, The 498

D
Daft Punk 542
Daily Telegraph, The 248
Dallas 562

Dani 330
de Armas, Ana 634
de Beaumont, Étienne, conde 42
de Wolfe, Elsie 106
Dean, James 364
Death in Venice (dir. Visconti) 446
Delevingne, Cara 17, 646, 706
Demaizière, Thierry 24
Depp, Lily-Rose 646
Desrues (alta joyería) 316, 330,
    390, 392, 514, 698
Diaghilev, Sergei 294, 390, 432, 446
Díaz, Lisa-Kaindé & Naomi 634
Dietrich, Marlene 344
Dior (marca) 14
Dior, Christian 272
Dominio Nacional de Saint-
    Cloud, París 402
Donen, Stanley 304
Dongdaemun Design Plaza, Seúl 608
Dubái 17, 576
Ducasse, Alain 368

E
Eau de Parfum Nº 5 64
Edimburgo 532
Egipto 698
Eiffel, torre, París 358, 662
El año pasdo en Marienbad
    (dir. Resnais) 484
Elisabeth (Sisí), emperatriz de
    Austria 592
Ellison, Jo 706
Escocia 17, 58, 84, 248, 410, 532
Escuela de Bellas Artes, París 28,
    54, 60, 68, 136
Espace Branly, París 230
Espace-Elysées, París 118
España 90, 576
Evangelista, Linda 122, 126,
    326, 330, 344

F
«La Fabrique du luxe: Les marchands
    merciers parisiens au XVIIIª siècle»
    exhibición (2018–2019), Museo
    Cognacq-Jay, París 702
Fair Park, Dallas 562
«Fame» (Bowie) 344
«Fancy», vídeo (Azalea) 214
Fellini, Federico 620
Fendi (firma) 14, 23
Financial Times 654, 706
Florence and the Machine 506
Fontange, duquesa de 218

Ford, Tom 14
Fragonard, Jean-Honoré 456
France-Presse, agencia 418, 524
Frankel, Susannah 724
Friedrich, Caspar von 498
Funny Face (dir. Donen) 304
Furniss, Jo-Ann 706
Fury, Alexander 658

G

Gainsbourg, Serge 306, 376
Galignani, librería, París 720
Galliano, John 14
Gaubert, Michel 658
Gerber, Kaia 666, 674, 720
Ghesquière, Nicolas 14
Giacometti, Alberto 650
Ginza, centro comercial, Tokio 348
«Girls & Boys» (Blur) 322
Goossens (orfebre) 698
Gracián, Baltasar 15
Grand Central Station, Nueva York 17, 380
Grand Palais, París 17
  1980, década de 52
  2000, década de 372, 376, 386, 396, 412, 418, 424, 428, 452
  2010–2014 456, 478, 484, 498, 504, 514, 526, 538, 542, 550, 556, 570
  2015 586
  2015–2020 616, 624, 630, 638, 642, 650, 654, 658, 684, 716, 720, 728
Grecia 658
Groult, Nicole 494
Guardian, The 650
Gursky, Andreas 570
Gutfreund, Susan 114

H

H&M 24
Hadid, Gigi 732
Hadid, Zaha 506, 608
Hall, Jerry 42
Hamburgo 23, 106, 670
Harlech, Amanda 248, 318, 392, 494
Harlow, Shalom 344, 692
Hawkins, Justin (The Darkness) 364
Hayworth, Rita 502
Heckerling, Amy 188
Hedda Gabler (Ibsen) 240
Hepburn, Audrey 304
Herald Tribune 64
Herzigová, Eva 330, 344
Herzog & de Meuron 670

Hidalgo, Anne 662
Hollywood 400, 422, 460, 502, 562
Horst, Horst P. 292
Hotel du Cap-Eden-Roc, cabo de Antibes 502
Hume, Kirsty 234
Hurel (bordados) 266

I

Ibeyi 634
Ibsen, Henrik 240
Ilustración 350
«I'm Every Woman» (Chaka Khan) 586
India 510
Indifférent, The (Watteau) 42
Inglaterra 58, 86, 410, 538
Instituto de Francia, París 688
Island, The, Dubái 17, 576
Italia 16, 17, 23, 446, 488, 620

J

Jacobs, Marc 14
Jagger, Georgia May 474, 646
Jako (fragancia) 23
Japón 16, 254, 348, 438, 498, 662
Jay-Z 556
«Je t'aime... moi non plus» (Gainsbourg and Birkin) 306
Jenner, Kendall 612
Jones, Grace 550
Jovovich, Milla 400
Justiniano, emperador bizantino 488

K

Kamo, Katsuya 438
Kandinsky, Wassily 236
Kapsule (fragancia) 23
Karl Lagerfeld se dessine (dir. Prigent) 24
Keller, piscina, París 280
Kessler, Harry 16
Khan, Ali, príncipe 502
Khan, Chaka 586
Kidman, Nicole 344
Kiefer, Anselm 498
Kieślowski, Krzysztof 713
Kitmir (bordados) 432
Krizia (firma) 14, 23
Kruger, Diane 400

L

La Coupole, París 602
la Fressange, Inès de 17, 42, 54, 60, 68, 86

La Pausa (villa Coco), Riviera francesa 390, 684
Lagerfeld, Karl
  detalles biográficos 23–24
  en colecciones (alta costura)
    1980, década de 26, 28, 38, 42, 54, 60, 68, 94, 102
    1990–1994 110, 118, 126, 136, 148, 158, 166, 180, 184, 192
    1995–1999 202, 210, 226, 234, 240, 260, 266
    2000–2004 272, 310, 318, 332
    2005–2009 382, 392, 402, 412, 424, 438, 452
    2010–2014 466, 478, 504, 514, 524, 538, 550, 566, 580
    2015–2019 596, 612, 624, 638, 650, 662, 674, 688
  en colecciones (crucero) 358, 380, 400, 422, 446, 474, 502, 520, 548, 576, 608, 634, 658
  en colecciones (*métiers d'art*) 316, 330, 348, 390, 410, 460, 488, 510, 532, 562, 592, 620, 646, 670
  en colecciones (*prêt-à-porter*)
    1980, década de 30, 34, 40, 48, 64, 72, 90, 98
    1990–1994 106, 114, 122, 130, 142, 162, 170, 176, 188
    1995–1999 196, 206, 214, 218, 230, 244, 248, 250, 254, 264
    2000–2004 276, 284, 314, 328, 334
    2005–2009 376, 386, 396, 406, 418, 428, 442
    2010–2014 456, 470, 484, 498, 506, 516, 526, 542, 556, 570
    2015–2019 602, 616, 630, 642, 654, 666, 680, 692, 706
  influencia, recibida de 716, 720, 728, 736
  inicios de su carrera 14, 23
  inspiración
    1980, década de 26, 28, 38, 42, 74, 80, 86, 90, 94, 102
    1990, década de 106, 122, 148, 158, 184, 222, 230, 240, 244, 248, 250, 254
    2000, década de 294, 296, 3 22, 348, 350, 390, 412, 424, 438, 446
    2010, década de 456, 466, 484, 488, 494, 498, 502, 506, 524, 562, 570, 576

libros de fotografía 24, 488
películas, dirigidas por 23, 432, 460, 620
premios 23, 24, 562, 662
Lagerfeld Confidential (dir. Marconi) 24
Lagerfeld Gallery 14, 23
Lagerfeld pour Homme (fragancia) 23
Lamoureux Orchestra 484
Lanel (bordados) 266
Lang, Fritz 498, 550
Laurencin, Marie 494, 524
Lazareanu, Irina 410
Le Corbusier 580
Le Mée (casa de campo de Lagerfeld), Isla de Francia 106
Le Nôtre, André 402, 520
Le Ranelagh, teatro, París 432
Lemarié (plumas y flores artificiales) 17, 316, 330, 392, 484, 524, 592, 596, 662, 698, 728
Lennon, Sean 410
Lesage (bordados) 17, 19
  1980, década de 32, 50, 74
  1990, década de 202, 244, 266
  2000, década de 316, 328, 330, 368, 432, 438
  2010, década de 516, 550, 620, 670, 698
Lesage, François 50
«Let's Spend the Night Together» (Rolling Stones) 474
Lichtenstein, Roy 292
Lido, Venecia 17, 446
Lifar, Serge 192, 294
Linlithgow, palacio de, Edimburgo 532
Lognon (plisadores) 550, 698
Lohan, Lindsay 400
Londres 410, 538
Luis XIV, rey de Francia 218
Luhrmann, Baz 344
Lully, Jean-Baptiste 74
Lycée Buffon, París 296

M

Macaulay, Rose 148
Madness 428
Maison Desrues *véase* Desrues
Maison Jean Patou *véase* Patou
Maison Michel *véase* Michel
Malevich, Kazimir 322
Marconi, Rodolphe 24
María, reina de Escocia 532

María Antonieta, reina de Francia 456
Marie Claire Fashion Awards 24
Marino, Peter 348
Mario Valentino (firma) 14, 23
Massaro (zapatos) 316, 330, 392, 478, 566, 698
Maugham, Syrie 106
Maxim's, París 602
McKnight, Sam 586
McMenamy, Kristen 344
Memphis Group 19, 698
Menkes, Suzy 26, 30, 50, 410, 412, 624, 630, 634, 662, 688, 698, 716
Metrópolis (dir. Lang) 550
Miami 422
Michel (sombreros de señora) 17, 316, 330, 368, 402, 442, 504, 670, 724
Monroe, Marilyn 400
Montex (bordados) 19, 266
Moore, Demi 400
Moore, Julianne 612
Morand, Paul 504, 562
Moreau, Jeanne 344, 620
Mower, Sarah 328, 372, 382, 418, 576, 620, 638, 666, 692, 698, 706, 724
Museo d'Orsay, París 68
Museo Metropolitano de Nueva York, Nueva York 698
Museo Rodin, París 240

N

Neiman Marcus, premio a la distinguida labor en el mundo de la moda 562
«New Look» (Dior) 272
Nueva York 368, 380, 698
New York Times, The 638, 658
nibelungos, Los (dir. Lang) 498
Noailles, Marie-Laure y Charles de 502

O

Once and Forever (dir. Lagerfeld) 620
Ópera de la Bastilla, París 258
Ópera de Montecarlo, Mónaco 24, 390
«Our House» (Madness) 428

P

París-Shanghái, una fantasía (dir. Lagerfeld) 460
Parker, Suzy 202

Patou (firma) 14, 23
Pávlovich, Dmitri, gran duque 16, 432
Pavlovna, María, gran duquesa 432
Pecheux, Tom 586
Phelps, Nicole 400
Phillips de Pury, Victoria, Londres 410
Photo (fragancia) 23
Piaggi, Anna 736
Picasso, Pablo 358
«Picasso Baby» (Jay-Z) 556
Pleasure of Ruins (Macaulay) 148
Poiret, Paul 494, 576
Pompadour, Madame de 350, 702
Popova, Liubov 432
Power, Cat 392
Prêt-à-Porter (dir. Altman) 188
Prigent, Loïc 24
Pynoo, Els 306

R

Racine, baile de (1939) 42
Raleigh Hotel, Miami 422
Rathenau, Walter 16
Rávena, Italia 488
Ray, Man 292
Ray, Nicholas 364
Real Academia, Londres 86
Rebelde sin causa (dir. Nicholas Ray) 364
Resnais, Alain 484
Rheinhardt, Max 592
Ritz, Hotel, París 218, 226, 234, 646
Riviera Francesa 196, 390, 474, 502
Roche, Serge 106
rococó, estilo 42, 580, 592
Rogers, Millicent 562
Rolling Stones 474
romanticismo 460, 498, 538
Ronettes, The 406
Rosehall, Sutherland, Escocia 532
Roussel, Thomas 484
Rumberos de Cuba 634
Rusia 38, 90, 390, 432, 478

S

Saint-Germain-des-Prés, París 358
Saint Laurent, Yves 50
Saint-Tropez 474, 502
Salle Gaveau, París 424
San Vitale, Rávena 488
Santa Mónica, aeropuerto, Los Ángeles 17, 400
Sargent, John Singer 32

Sartre, Jean-Paul 358
Schiaparelli, Elsa 304
Schiffer, Claudia 692
Schloss Leopoldskron, Austria 592
Schneider, Romy 344, 592
Scott, Ridley 64, 550
Seberg, Jean 724
Seyrig, Delphine 484, 620
Shakespeare, William 86
Shanghái 460
Singapur 17, 548
Sparks, The 364
Status Quo 222
Stewart, Kristen 612, 620, 724
Stravinski, Ígor 432
Sunday Times, The 158
surrealismo 106, 184

T

Tellier, Sébastien 566
Teodora, emperatriz bizantina 488
Teurlai, Alban 24
Texas 562
Thawley, Dan 736
«This Town Ain't Big Enough for
   Both of Us» (The Sparks and
   Hawkins) 364
«Tiempos de la caballería», exposición
   (1987–1988), Real Academia,
   Londres 86
Times, The 30
Tokio 348
tren azul, El (Ballets Rusos) 390
Treacy, Philip 136, 158
Tree, Penelope 356
Tullerías, las, París 304, 308

U

Un Roi seul (dir. Demaizière y Teurlai)
   24

V

Valletta, Amber 344
Vendôme, plaza, París 504, 548
Venecia 16, 17, 446
Versalles 17, 74, 350, 402, 452,
   456, 484, 520, 580
Viard, Virginie 18–19, 392, 684,
   702, 706
   detalles biográficos 713–714
   en colecciones (alta costura) 720,
      732
   en colecciones (crucero) 716
   en colecciones (*métiers d'art*) 19,
      728

en colecciones (*prêt-à-porter*)
   724, 736
Victoria and Albert Museum 538
Visconti, Luchino 446, 592
Vive la Fête 306
Vogue
   1980, década de 26, 30, 34, 40,
      48, 86, 94, 98, 102
   1990–1994 106, 110, 114, 122,
      126, 130, 158, 170, 184, 188
   1995–1999 218, 236, 264
   2000, década de 412
   2010, década de 478, 538, 616,
      620, 624, 630, 634, 638, 662,
      666, 692, 698, 702, 706, 713,
      716, 724, 728, 736
Von Teese, Dita 400
Vreeland, Diana 42, 356

W

Warhol, Andy 570
Watteau, Jean-Antoine 42
Weimar, Alemania 538
Welch, Florence (Florence and
   the Machine) 506
Westminster, duque de 16, 84,
   126, 410, 532, 684
Williams, Pharrell 646
Winterhalter, Franz Xaver 80
Wintour, Anna 542
Women's Wear Daily
   1980, década de 26, 28, 32, 38,
      48, 54, 60, 68, 94
   1990–1994 126, 136,
      158, 162, 176, 184, 192
   1995–1999 202, 214, 218, 226,
      230, 250, 254, 260, 264, 266
   2000, década de 270, 272, 278,
      348, 358, 634, 646, 650, 662,
      684, 702
Wyatt, Lynn 562

X

Xenakis, Iannis 658

Y

«You're in the Army Now»
   (Status Quo) 222
Yves Saint Laurent (marca) 14

Z

Zimmermann, Raquel 400